U0134497

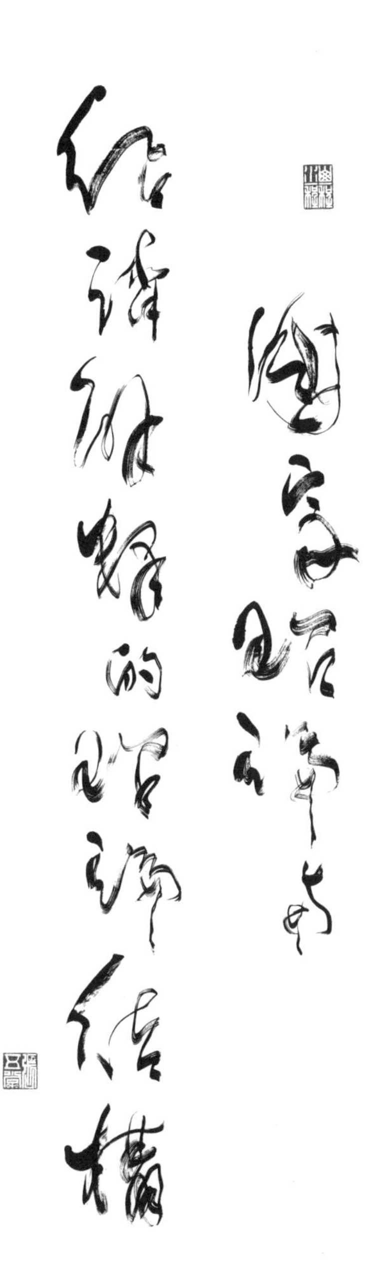

To my teacher Armen A. Alchian

In grateful memory

給老師阿爾欽

感激與懷念

經濟解釋　第四版

全五卷之五：國家理論與經濟解釋的理論結構

ECONOMIC EXPLANATION,
FOURTH EDITION
BOOK FIVE OF FIVE: STATE THEORY AND THE THEORETIC STRUCTURE OF ECONOMIC EXPLANATION

張五常 著
Steven N. S. Cheung

Arcadia Press
花千樹

目錄

第四版引言 11

第一章：從佃農分成到中國制度 17

第一節：知識累積、土地價值與社會詛咒 18

第二節：斯密的佃農分析與自然淘汰觀 24

第三節：馬歇爾的幾何失誤 30

第四節：換軸看分成切地清晰 35

第五節：訊息費用解釋分成 42

第六節：推斷中國改制的理論結構 50

第七節：層層分成與縣際競爭 57

附錄：從黃奇帆的發展思維說中國的財富累積 66

參考文獻 73

第二章：收入分配與國家理論 77

第一節：分配理論與貧富分化 77

第二節：市場與非市場的等級排列 85

第三節：中國舊家庭的禮教與國家的盛衰 93

第四節：國家理論：什麼是國家？ 103

附錄一：從藝術文化看一個頑固存在的國家 113

附錄二：從中國先拔頭籌看天下大勢 128

參考文獻 143

第三章：經濟調控與貨幣制度 147
第一節：政府管治經濟的四方面 148
第二節：經濟波動沒有周期 150
第三節：四種貨幣制度 154
第四節：以物價指數為錨 165
附錄一：從權利角度看國際收支平衡表 168
附錄二：管制資本項目之謎 173
參考文獻 175
第四章：經濟學為何失敗？ 179
第一節：象牙塔不知世事 180
第二節：無從觀察的術語太多 184
第三節：交易費用需要放進去 188
第四節：從科學解釋角度看經濟學的災難 190
參考文獻 193
第五章：經濟解釋的簡單理論結構 197
第一節：幾何圖表再闡釋 197
第二節：三個近人的貢獻 201
第三節：供應曲線與薩伊定律 202
第四節：三個基礎與兩個難題 205

第五節：《經濟解釋》的前途 210
參考文獻 214
第六章：一蓑煙雨任平生 219
第一節：引言 219
第二節：在荒野長大 220
第三節：學校的失敗與街上的成功 221
第四節：父親的鼓勵 222
第五節：在學校為何失敗 223
第六節：從阿倫（William Allen）到阿爾欽 224
第七節：研究院的老師 224
第八節：沒有誰鼓勵我學數 225
第九節：阿爾欽與赫舒拉發的入室弟子 226
第十節：長灘與德沃拉克（Eldon Dvorak） 228
第十一節：我與科斯（Ronald Coase）的交往 229
第十二節：可喜的分配與科斯的錯失 230
第十三節：芝加哥學派 231
第十四節：弗里德曼 232
第十五節：奈特（Frank Knight）與戴維德 233
第十六節：離開芝大到西雅圖 234

第十七節：西雅圖十三年 235

第十八節：華盛頓學派 237

第十九節：到香港觀察中國 238

第二十節：終於寫出巨著 240

第二十一節：生命的凋謝與博物館的構思 242

參考文獻 243

悼文兩則 245

悼老師阿爾欽 245

羅納德・哈里・科斯 249

人名索引 257

第四版引言

列寧曾經說國家是一間龐大的公司。這當然對，可惜說了等於沒有說。何謂"公司"我在《公司的合約性質》一文內解釋過，但作為一間公司，國家的特徵是些什麼是個難題，難倒了不少從事新制度經濟學的參與者。一方面，"國家"不一定有憲法；另一方面，一個人可以在某荒蕪之地擁有一個小島而自立為國——今天地球上有些國家就是這樣。

從古時的史實看國家，我們可以找到一些線索。古時的國家一定有國土的界線劃分（今天也如是），一定有附地而生的庶民（今天不一定有，雖然國籍還存在，而一些人可以擁有兩個或以上的國籍），一定有君主（今天也有總統、總理或首相），一國之民要向上頭繳稅（古時或稱為租，雖然租與稅的性質不同），一定有管治的倫理、宗教或法律（今天，倫理或宗教的管治漸成陳迹），而可能最重要是有共通的文化（這一點，今天應該還在）。

我非常重視一個國家或一個民族的文化，因為這共通文化的存在可以節省交易或制度費用，而文化或風俗協助着的行為約束，可以看為合約的替代，或根本上可以作為合約看。

寫國家我順便分析貨幣，因為一個國家通常有自己的貨幣。通常有，但不一定有，而有時國家的貨幣不能被本國的市民接受。貨幣是非常複雜的經濟學問。二十世紀下半部的貨幣大師，我差不多全部認識，今天回顧，竟然發覺沒有一位能真的全面掌握跟貨幣有關的學問。脫離了昔日的本位制，加上數碼科技的運作，什麼算是貨幣今天變得滿是問號了。

在本卷最後，我分析傳統的經濟學為何失敗，論述我對這傳統的全面革新，細說有解釋力的經濟理論的結構牽涉到的哲理是簡單的。

張五常　二〇一七年二月

國家理論與
經濟解釋的理論結構

State Theory and the Theoretic Structure of Economic Explanation

一九八一年我對中國改制的推斷沒有一絲博彩的意圖：從頭到尾的肯定文字是把自己的名字押了上去，稍有差池輸不起。外人可不知道，我的準確推斷有一個他們沒有注意到的秘密：當年我見到的中國是一個歷史上沒有出現過的誇張例子——封閉誇張，開放誇張；等級誇張，無知誇張；政治教條誇張，交易費用誇張；貧窮誇張，增長也誇張。説過了，我是個喜歡處理誇張例子的人。

第一章：從佃農分成到中國制度

在廣闊無邊的人類思想的領域中，一個學者的思想永遠是那麼微不足道。我平生認識從事思想創作的朋友無數，不單是經濟學的，他們每位的整生思想皆可化為簡單的幾句話。我自己也不例外。然而，從事思想創作，一個學者窮畢生之力不容易搞出變化，不容易展示自己的思想改變了些什麼，不容易說出一句足以歷久傳世的話！

記得在芝加哥大學時，同事格里利克斯（Zvi Griliches）以生產函數的操作知名行內。他對我說："我的學術生涯來來去去都是那生產函數，這裡一篇那裡一篇，無法擺脱這個框框，所有我認識的大師皆如是。你來日方長，不相信這困難不妨試試可否殺出去。" 那是一九六八年，他讀到我在《政治經濟學報》剛發表的《私產與佃農》，很喜愛，鼓勵我嘗試殺出自己框框之外。我比格兄幸運，因為能從佃農理論推到合約結構，再推到從約束競爭的角度看合約，終於帶到整個經濟的多種變化。那是殺出重圍了！

在卷四我處理了合約的一般理論，本卷要從合約的角度說國家。非常巧合的，是在人類歷史上經濟發展得最快的一九九三至二〇〇七年的中國，其採用的經濟制度竟然是我在理論上處理得稱意的佃農分成！怎麼會那麼巧？

二〇〇八年我為科斯寫好《中國的經濟制度》一文，他讀後以"強力"（powerful）一詞形容。蒙代爾讀後也以同一詞形容該文。然而，如果不是早上四十年寫好了《佃農理論》，我不可能解通中國的經濟制度的密碼！可見在追求學問的過程中我是個非常幸運的人。本章追溯從《佃農》到《中國》的思想發展，好叫同學們能明白經濟解釋來來去去都是同樣的幾個簡單基礎。

第一節：知識累積、土地價值與社會詛咒

人類的重要資源只有兩種。其一是作為萬物之靈的腦子（包括人力），其二是土地（包括礦物）。歷久以來，一個腦子了得的人備受讚揚，但一個大地主則屢遭唾罵，有什麼風吹草動，要被殺頭的，大地主走在前頭！然而，稀缺不足的局限不論，土地值錢是因為人類的腦子能想出怎樣用，有層出不窮的產品。就是在人煙稠密的今天，地球上絕大部分的土地不值錢。人類腦子之外，所在地點與經濟制度是土地值錢的原因。

歷史經驗說土地之價與知識增長掛鈎

回顧歷史，我們知道曾經有很長的年代，土地的收入回報率——即是租金加地價上升——不容易超越市場的利息率。從市場競爭的均衡角度看，投資買地的收入回報率應該與利息率相等。但上世紀七十代有跟進地價的經濟學者發現，地球上推行市場經濟的地方，地價的上升加租金收入，在地價的百分比上有高於利息率的傾向。這現象需要解釋，因為除了經濟與市價的波動，市場對前景的預期應該算進了地價，怎會出現投資於土地的回報率高於利息率或其他的投資呢？

這問題當年我跟阿爾欽及一些同事研討過，得到的答案是人類的科技發展比市場預期的來得快。那是上世紀七十年代中期的看法。今天回顧，這看法應該對：人類腦子想出來的先進

科技提升了產品的價值，好一部分的升幅轉到地價那邊去。尤其是，人的生命短暫，但科技的發明可以累積，這累積帶來的財富要放進哪裡呢？一個明顯的選擇是土地，因為土地是財富累積其中的一個重要倉庫。至於市場對前景的預期，我們事後作判斷免不了有武斷的成分——雖然可以加進看得到的局限轉變來支持這判斷。這裡我要指出，二戰之後的六十多年中，人類的科技知識增長的確近於神話，而這些年數碼科技的演進應該更是遠超市場昔日的預期了。無可置疑，投資於房地產的回報率高於市場的利率是源於人類的科技知識增長高於預期。當然這是從一段相當長的時期看。短期的房地產投資可以破產，而今天看長期的明天，我們無從肯定超於預期的科技發展會繼續。科技知識會繼續增長我們可以肯定，不能肯定的是會否超於市場的預期。

中國的知識增長冠於地球因為曾經閉關自守

在整個地球的人類歷史中，要選一個時代、一個地方，科技發展得最快的，讀者能猜中我選何時何地嗎？我選開放改革後的中國！不是說今天中國的科技了得——我認為還是落後於日本等地——而是中國閉關自守了那麼多年，剛好是外間的科技發展得最快的時代，開放前近於一無所知。一九七九年的秋天我到廣州一行，見到產品的稀缺與科技知識的落後不能不搖頭嘆息。然而，從八十年代初期起香港的投資者到南中國設廠，帶進管理與科技知識，而一九九二年開始長三角也大事開放，西方的投資者湧進，帶來的科技知識更為可觀了。可以這樣看吧：外間的急速科技發展累積了數十年，然後從一九九二年起大量湧進中國，人類歷史沒有見過這樣的現象。

如果土地沒有清楚的權利界定，勞動人口沒有選擇工作的自由，科技的引進不會有大作為。今天回顧，一九八五年初我調查廣州的中國大酒店時，勞動人口的自由選工還有不少沙石，但跟着放寬得快。長三角要到一九九二年的春天鄧小平先生南下之後才開始，跟着的發展更快。至於土地的權利界定，通過承包合約的處理也先在珠三角起步，重點是一九八七年十二月一日深圳舉辦第一次土地拍賣。跟着全國性的土地權利界定趨於完整，始於一九九四年——過後我會分析的縣際競爭制度是在那時開始形成的。

一九九四年中國的通脹急遽，朱鎔基大手調控，一九九七年通脹率下降至零，跟着通縮出現，還不算是普及的樓市之價從一九九五到二〇〇〇年下降了約三分之二。二〇〇〇年通縮終結，樓價開始回升，之後的七個年頭是投資於中國的黃金歲月。我大約地算過，二〇〇三年上海的樓價不到舊金山的一半，二〇一三年約高於舊金山的一倍——不要忘記在這期間美國的樓價下降了，人民幣兑美元上升了。

提到上述，因為要指出如果單從房地產之價論財富，今天的中國是明顯地比美國為高——不僅樓價較高，高樓大廈也遠比美國為多。土地與樓房是國家財富的一個重要部分，但在幾方面這種驟眼之見容易誤導。

看租金比看樓價可靠

第一方面是內地像香港那樣，不把全部土地供之於市。需求彈性係數教我們，把全部土地放出去，房地產的總市值可能低於只放出一小半。如果政府多放土地而房地產的總市值上升，是一個不能肯定的代表着經濟有所增長的數據。說不肯定，因為房地產的市價可以受到市場炒買炒賣的影響。那所謂泡沫，雖然經濟學沒有教是什麼，但像牛群直覺帶動的不容易解釋的市價大幅波動不罕見。這方面，以房地產總市值的變動來衡量經濟增長，不及從房地產總租金的變動來衡量那麼可靠。租金不容易受到炒買炒賣的影響。這可見於從百分率看，房地產的市價波動一般大於租金的波動，使租金與房地產之價的百分率有時高於或低於市場的利息率——低很多的情況常有，反映着市場預期租金會上升。不管怎樣說，衡量經濟增長看房地產的租金比看房地產的市價可靠。然而，投資於房地產，因為預期的租金收入難以肯定，我們要望天打卦了。

邊際回報相等中國勝西方

第二方面，原則上，土地資源要達到最高的總租值，不同用途的邊際租金要相等。這要看地點的優劣是否相若，也要算進發展土地的成本。這是說，地點相若的土地，不同用途的算進發展成本的收入回報率應該相等，而這相等要算進那所謂外部性的正面或負面的影響——例如不要把工廠放進商業區去。這方面——不管政府放地多少這個話題——是十多年來中國在土地處理上做得比較好的地方。整體來說，這第二方面我認為中國比西方的國家懂得做。過後我會解釋，是縣際競爭的制度使然。二十多年前，算進土地的發展成本，中國工商業用地的收入回報率遠比農業用地的為高。今天差不太遠，尤其是工商業與住宅用地的回報率，在縣際競爭下很一致。不要忘記什麼通什麼平的發展成本不菲，收取農地的補償大約是農地租金折現的三倍，而牽涉到需要武斷的外部性是重要的考慮。

三種倉庫的分別

第三方面，土地是財富累積的倉庫，人的腦子與體力是財富累積的倉庫，收藏品也是財富累積的倉庫。三者有別。土地值錢要靠有產出或用途，帶來租值，而這租值的存在是需要有權利界定與人類知識和勞力的貢獻。人類的腦子與體力值錢也要靠產出，權利界定之外，二者皆需要訓練與培養。但人的生命短暫，滿是天才及知識的腦子最久只可維持數十年。換言之，人會死去，但有價值的思想會頑固地存在，從而累積在永遠不死的土地倉庫之內。

收藏品呢？可以保存很久，但本身沒有產出，作為財富累積的倉庫收藏品的價值因而沒有上限。土地與人皆要靠產出帶來收入才值錢，這些收入有上限，所以作為財富累積的倉庫，土地與人本身可以容納的財富必有上限。但收藏品之價沒有上限。如果世界上沒有收藏品，邏輯上土地與人的產出收入推到盡頭，消費花不掉的錢沒有倉庫放進去。我認為漠視收藏品是經濟學者搞了那麼多年也推不出一個可取的財富累積理論的主要原因。引進收藏品，這理論變得順理成章。至於哪些物品會被市場選中作為收藏品是深學問，我在《收入與成本》第四章寫"倉庫理論"時解釋過了。經濟增長或發展的學說被經濟學者搞得一團糟，其實是一個不湛深的財富累積的故事。

經濟增長怎樣看才對

收藏品不是生產要素，土地與人卻皆是。看細節當然還有其他生產要素，但皆可歸納在土地與人之內。撇開收藏品，生產理論來來去去是環繞着經濟本科必教的邊際產量下降定律，用得到家變化多。不是說基於這定律的生產函數毫無用處，但函數方程式來得生硬，發揮不出應有的變化。我跑廠多年的觀察說，生產的規律變化非常多，以簡單的原則用出變化可以處理，生硬的方程式不成。

邏輯推理說土地與人力的邊際產值會跟各自的邊際成本相等。引進交易費用這邊際的產值與成本出現了複雜的變化，但可以簡單地從適者均衡的角度看。人類知識的增長與累積會使土地與人力的邊際產量曲線向上移動。土地的租金與人力的收入皆增，哪方面的增加較多要看土地與人力的相對稀缺情況，要看收藏品的市場發展，也要看人本身的知識水平。

知識不足、土地稀缺或制度失靈是人類貧窮的原因。收入的上升與財富的累積主要由知識的增加帶動。這是為什麼年輕人發奮求學是那麼重要。有趣的問題是：假設土地與人口之量不變，人類知識的增加導致土地租金與人力收入上升，假以時日，在比率上哪方面會上升得較多呢？我的答案是如果沒有戰亂，土地會勝出。這是因為人的生命短暫，個人的知識增長到某一點會終結，但人類知識的價值會不斷地累積在土地的使用上。今天一畝土地的產出價值，不管是農業、工業、商業，皆比半個世紀前高很多。富有人家的財富主要是儲藏在他們擁有的土地、收藏品或跟土地與知識有關的股票上。再看收藏品，其價這些年在神州大地上升得急。不要被幸運的例子誤導，要在收藏品賺高於利息的錢需要有很大的知識投資，算進這知識投資的成本，高於利息的回報不容易。一九七五年起因為考查訊息費用我跟進了多個收藏品市場的訊息局限，所以知道。但關於收藏品的知識是有趣的學問，可以享受，不需要真的下注。

以上是我衡量經濟增長的看法。我少看政府統計的國民收入，不是不相信，而是懶得管，因為這些統計沒有經濟內容，沒有說經濟發展的性質是怎樣的。

不勞而獲與不能走動惹來詛咒

最後讓我解釋為什麼土地升值往往受到社會詛咒。有兩方面。第一方面，在土地或房地產賺大錢，容易被社會視為不勞而獲。其實一個算得上是天才的腦子也是不勞而獲，但社會的人不容易分辨這些天才的收入（例如數碼科技帶來的巨富）是天賜的還是苦學使然。持有土地而發達的可沒有受到這樣的尊重，雖然他們也曾在土地投資上下過工夫，但社會人士通常認為是幸運，不是學問。

第二個土地受到社會詛咒的原因，是土地不能走動，不動產是也。政府要大抽房地產的税，業主走投無路。政府要大抽收藏品的税嗎？出盡紅衛兵也不容易找到收藏品躲在哪裡！不止此也，因為土地不能走動，政府大抽房地產的税，其使用往往不變。社會人士看得到的如是，但打草驚蛇，業主會改變投資策略，人民的財富累積會下降，房地產的發展商會偷工減料，政府的税制會有變動，官員的貪污也會增加了法寶。這一切，社會人士是不容易見到的。

第二節：斯密的佃農分析與自然淘汰觀

上節寫知識與土地，含意着的是一個簡單而又完整的經濟增長理論，也是財富累積理論，經濟學歷來沒有處理好。經濟學者把問題看得太複雜，漠視了資源本身是財富累積的倉庫。有了健全的土地使用的制度，尊重市場，提升人民的知識，經濟增長是必然的事。問題是交易或制度費用存在，容許利益團體把收入或財富再分配，惹來麻煩無數。經濟學原來的全名是“政治經濟學”。“政治”那方面我處理不了。

上卷寫合約的一般理論，我的分析主要是關於人力的合約。本章轉談土地。只是在重點上這樣説；人力與土地不可以河水不犯井水地分開來説。以土地使用作為核心話題，我選以佃農分成這種合約入手，有兩個原因。其一，《佃農理論》是我作學生時的習作，其來龍去脈知得清楚。當年的分析到今天還是對。一九六八年我發表第一篇關於佃農的文章後，不同意的人不少。四十八年過去，該理論還站着。其二，我要分析中國開放改革後的土地使用的發展。令我感到尷尬的，是要到二〇〇四年初自己才驀然驚覺，中國改革出來的土地使用制度是佃農分成制！一九七九年我開始跟進中國的開放改革，推波助瀾，寫下不少文章，而時疏時密數十年來沒有中斷過。怎麼要到二〇〇四年我才知道中國改革發展出來的是我作學生時的看家本領呢？

二〇〇八年初我為科斯寫好《中國的經濟制度》，再沒有跟進該話題。好些朋友說跟着的發展是把該制度改壞了。我沒有問壞在哪裡。解釋經濟，為一個題材寫好文章，發表後我的習慣是不再管。我不是個改革者，認為自己無足輕重，只是有時為了關心下筆，這裡那裡作點建議，或罵幾句。要是我認為自己有什麼改進社會的使命，不會活到今天。

風俗之見誤導

佃農英語稱 sharecropper，是指以一個百分率與地主分享耕耘收穫的農戶。斯密寫《國富論》時，英國沒佃農這回事。當時佃農在法國盛行，稱 metayer。是誤導的稱呼，因為 metayage 是指五十、五十（即雙方各佔一半）的制度。其實佃農分成的百分率變化多，不限於五十、五十。從一七七六的斯密到一九五〇的 D. G. Johnson，經濟學者一般認為五十、五十是風俗習慣使然，不是由市場決定。其實在我之前——從古典到新古典——一些經濟學者（包括馬歇爾）知道佃農的分成率有變化，但他們老是喜歡以五十、五十作分析。一九六八年我在芝大的圖書館找到中國一九三二年的資料，顯示着二十二個省份中，佃農制度的地主分成從最高的百分之六十九到最低百分之二十九。我把這些數據給上文提到的Johnson看，他感慨地說傳統的五十、五十害得他的分析全盤錯了。是我之幸，分析佃農之初我刻意地不參閱前人說過什麼，推出了一個數頁紙的理論，讓分成率在市場競爭下決定了，才參考讀物，才知道前人之見是另一回事。

斯密把分成作為抽稅看

一七七六年，斯密在他的《國富論》的卷三第二章，分析法國的佃農制度時寫下的話，對後人的影響甚久：

> 佃農永遠不會從他們的儲蓄拿錢出來改進土地，因為什麼錢也不出的地主要把產品的一半拿去。（政府或教會）從農產品抽取十分之一已經對改進土地有非常大的阻礙。抽取百分之五十的稅必然有效應更大的障礙。

這可見把佃農分成作為政府抽稅看的根深蒂固的傳統源自斯密。但斯密可不是針對佃農制度的無效率而下筆。他的處理是用一整章來追溯土地使用制度的發展，目的是申述較為有經濟效率的制度會逐步淘汰效率較低的。整本《國富論》都有適者淘汰不適者的味道，影響了後來的達爾文，而後者提出的“自然淘汰”是今天好些學者認為是人類最偉大的思想貢獻。這裡牽涉到一個重要的哲學問題，讓我從斯密的土地制度的演進觀說說吧。

進化論的起源與事實失誤

首先，斯密說佃農制度在英國很久沒有被採用，不知要怎樣稱呼，是他以法國為例的原因。他繼續說在佃農之前的奴隸制度更沒有經濟效率，因為一個沒有資產的奴隸只管吃，不管做。斯密之見是為了增加土地使用的效率，佃農替代奴隸。跟着的推論是：佃農制度還是效率不足，所以慢慢地，一個固定租金的制度取代了佃農分成。斯密跟着說，雖然固定租金優於佃農分成，但前者的合約期限過於短暫，農民沒有安全感。他於是說，有永久年期的固定租金合約最有效率，而這種租約只在英國存在。言下之意，是英國當時的農地使用制度優於歐洲其他國家。

我們要怎樣看斯密的制度進化分析呢？有兩點。第一是他說的事實不對。考查英國的歷史我找不到佃農制度曾經在該國存在，不僅是很久以來沒有。我的解釋，是這不存在可不是因為無效率，而是因為永久或近於永久的農地租約，在中世紀甚或更早的時期在英國普及：年期短暫的農地租約在英國歷史上沒有記載。長約會導致佃農分成的監管費用太高，所以佃農制度不被採用。無論在西方或是亞洲，佃農可以續約，但每約很少超過三年。有關佃農的監管困難我會在第五節補充。轉看奴隸的問題，我們沒有證據奴隸只管吃不管做。事實上，福格爾及巴澤爾在上世紀六、七十年代追溯關於奴隸的歷史資料，得到的結論是奴隸的生產力可觀，而且主人虐待奴隸的故事多屬虛構。

第二點更麻煩。不管斯密在事實上的錯，說制度的演進會朝着經濟效率較高的方向走是合理的：說在局限約束下人類會爭取利益極大化順理成章。然而，昔日中國人民公社的出現，導致饑荒遍野的，不可能是一個提升利益的制度。斯密當年回顧歷史跟我們今天回顧歷史不同。我們回顧，單是二十世紀就好幾次有人類自己炮製出來的大災難，深化一點足以毀滅人類的。斯密認為人類的自私會給社會帶來益處，我同意，但我也認為人類的自私可能提升交易或社會費用，即是導致租值消散，推到盡頭人類有機會毀滅自己。我不同意這些年經濟學者以博弈理論來解釋人類的災難，因為該理論無從驗證，但人類可以有自我毀滅的傾向是明顯的。是的，一方面我們可以舉出無數例子，顯示着合約或制度的安排是朝着減低交易費用的方向走；另一方面我們也可例舉倒轉過來的增加交易費用的情況。

如果我們説人類自我毀滅也是自然淘汰的結果——人類不適於生存——那麼斯密與達爾文之見很容易變為套套邏輯，説了等於沒有説。但自然淘汰這個觀點顯然重要，在生物的進化中有着無數實例的支持，只是引進人類的經濟制度與互相殘殺的演變，我推不出是哪些制度費用的怎麼樣轉變會導致兩個各走一端的不同效果。

斯密最嚴重的錯是他認為佃農制度會遭淘汰。今天地球上很多地方，不僅佃農合約存在，分成合約的普及可見於石油工業、百貨商場，而如果沒有政府或工會的左右，很多律師在某些案件會跟顧客以分成算賬（稱 split fee）。再者，上文指出，中國的縣際競爭制度也是分成制。

英法敵對密爾客觀

斯密是經濟學歷史上最偉大的思想家，客觀、博學，而他的文筆足以雄視百代。他對後人的深遠影響是應該的。斯密之後，一位大名鼎鼎的英國農業專家（Arthur Young）一七八七至一七八九遊覽法國後，出版了一本法國遊記，很大名，不遺餘力地大罵法國的佃農分成制度。但該遊記在一八九二與一九二九再版時，一位編輯把大部分罵法國佃農的文字刪除，另一位在編者的序言中對法國的佃農制度讚不絕口，捧到天上去。早些時，一八一五年，意大利經濟學名家 Sismondi 在他的名著中也大讚佃農制度，可惜此君是多戶佃農的地主，其判斷免不了要打折扣。

歷史上英國與法國敵對，法國有佃農，英國沒有，英國的作者喜歡高舉自己的農業制度，貶低法國的。輪到英國的密爾一八四八年寫佃農，他認為該制度是風俗使然，經濟科學無從分析。但人類紀錄上智商最高的密爾，寫下的他認為無從分析的佃農制度的判斷令人折服：

> 如果意大利的佃農制度是像Sismondi說的那麼好，而Sismondi知道那麼多的細節，又是一個本領不凡的權威；如果農民的生活與農地的面積，經過那麼長久的歲月還能像Sismondi說的那樣維持着，而農村的生活情況顯然是遠高於歐洲的大多數國家，要是我們舉着農業改革之名，試圖引進固定租金與資本家的農業制度，是多麼危險而又令人惋惜的事。

是的，密爾直言："英國的寫手濫罵佃農制度，是站在一個極端狹窄的角度看。"

中國的經驗

我不能肯定斯密的佃農分析是後來的學者對地主詛咒的原因，但幾本說中國的地主不善待農民的西方論著，上世紀二、三十年代令人矚目的，都有斯密的影子。尤其是R. H. Tawney一九三七年在倫敦出版的《中國的土地與勞力》，既是名家，也是名著，說得中國的農地使用制度一無是處。然而，在同一時期——一九二三到一九三八——美國的卜凱教授（J. L. Buck，是寫《龍種》與《大地》的賽珍珠的丈夫）到中國，得到金陵大學（即南京大學）的協助，在中國作了前所未見的詳盡中國農業調查，出版了六本書，而他的調查助手中有幾位以中文動筆，給後人提供着珍貴的資料。一九六八年在芝大的亞洲圖書館我有機會把這些中文作品全部拜讀，獲益良多，有關的資料都加進後來在芝大出版的《佃農理論》一書內。卜凱教授及他的助手們的調查與論著，一律沒有說中國的地主剝削農民，說中國的農業運作勝西方，也提供着大量數據，證實地主自耕、僱用農工、固定租金、佃農分成這四種不同的安排每畝的產量差不多——農戶租地的產量約高於地主自耕的百分之三，而佃農分成的地主所得是略高於固定租金的。

可惜時代與情感都不站在地主那邊。日軍侵華，共產高唱，二戰後國民黨要推出管制地主的分成不能超過百分之三十七點五，意圖拒共，還沒成事就逃到台灣去。這三七五的分成租管一九四九年四月在台灣推出。今天回顧，因為社會歧視地主而得益的炎黃子孫只我一個：為了解釋三七五分成租管導致農產品產量上升這個怪現象，一九六七年我寫下今天看是有機會傳世很久的《佃農理論》。

第三節：馬歇爾的幾何失誤

一九六六年五月，為了分析台灣政府管制佃農分成的百分率，我要先推出一個沒有這管制的佃農理論，只一個晚上就推了出來。那麼順利有兩個原因。其一是當時沒有讀過前人對佃農的分析，其二是我把土地之量放在幾何圖表的橫軸。後來拜讀前人之作才知道他們一律把勞力或農民的投入放在橫軸。理論的突破有時要講運情。其實橫軸是土地還是勞力皆可推出同樣的答案，只是後者不容易看出分成合約的要點。第四節會解釋。我的橫軸土地的分析說固定租金、地主自耕、僱用勞力與佃農分成的生產效果完全一樣，論文導師阿爾欽及赫舒拉發雖然認為證得巧妙，但也認為跟傳統之見有那麼大的分歧，不能立刻接受。阿師跟着把我那幾頁紙的文稿給他正在教的一組學生研討，一個月後給我信，說找不到錯處，可以動筆寫論文了。

馬歇爾的幾何圖表

動筆後我才知道，傳統的結論不同起自斯密，而支持斯密之見的是馬歇爾一八九〇年的幾何分析。馬氏的幾何圖表以勞力之量放在橫軸。我只看一眼就知道他的分析全盤錯了。這是因為我已經有了橫軸土地的答案。用勞力為橫軸其答案應該一樣，但二者有別，互相印證馬氏的幾何失誤一下子就看出來了。

馬歇爾的幾何分析用斯密的抽稅思維：業主抽取農產值的一個百分比等於政府抽稅。他把斯密的農民改進土地的投入改為農民勞力的投入。從斯密的古典轉到馬氏的新古典，後者當然引進邊際分析。馬氏本人沒有畫出佃農分成的幾何圖表，但在兩章的幾個註腳中說清楚怎樣畫，不少後人替他畫了出來。

該圖表假設土地之量（面積）固定不變，縱軸是勞力的平均或邊際產量的價值，橫軸是農民的勞力投入。假設土地之量不變，引進邊際產量下降定律，一條勞力的邊際產值曲線於是向右下降。如果地主僱用農民，農民的時間工資是平線，該平線交接邊際產值是均衡點，勞力之量的投入由這點決定。時間工資的分析這樣說沒有錯。轉用佃農分成，馬歇爾的簡單處理是引進一條佃農邊際收入曲線。後者是以佃農分成的百分率乘以上述的（時間工資的）邊際產值曲線。換言之，如果佃農與地主的分成是五十、五十——馬歇爾的假設——佃農的邊際收入曲線是邊際產值曲線乘以零點五。這要把佃農的邊際收入曲線向下移動，即是從高度看，佃農的邊際收入曲線的每一點是邊際產值曲線的一半。

這就是了。先前地主僱用農工的時間工資平線還在，只是在佃農分成下闡釋為佃農另謀高就的時間代價。重要的分別是：先前地主僱用農工，後者勞力投入的均衡點是時間工資等於勞力投入的邊際產值；採用分成制，佃農的勞力投入是另謀高就的時間工資等於佃農的邊際收入。因為從高度看後者（佃農邊際收入）一定低於前者（邊際產值）——以五十、五十分成算，佃農的邊際收入每點只有邊際產值一半那麼高——佃農的勞力投入一定是少於時間工資的勞力投入。這佃農的勞力投入不一定是減了一半，而是要看時間工資那平線畫在哪個高度的位置。

與事實不符的困擾

上述的分析由馬歇爾提出，基本上是斯密的政府抽税觀加進那重要的邊際產量下降定律。可能因為簡單明確，這分析從馬歇爾提出的一八九〇流行到我提出另一個分析的一九六六。不能說馬氏之後的經濟學者都接受該分析：D. G. Johnson（1950）與J. O. Bray（1963）皆指出雖然理論說佃農分成無效率，但實際上佃農的產出可觀。Johnson 的結論是：雖然理論說佃農分成無效率，但在年期不長的租約下，佃農會知道如果地主的分成收入偏低後者會考慮收取固定租金，所以大致上地主的分成收入會與固定租金相若。Bray 則認為佃農無效率之說是學術性的，而他的觀察是：

> 經濟落後的國家要提升農業的生產技術，需要知道在美國，農業生產力最可觀的制度，大部分是地主與農民之間採用佃農分成的租約。

佃農的收入是太多了！

回頭說馬歇爾的以勞力為橫軸的幾何分析，驟眼看邏輯井然，不容易找出錯處。要不是我先以土地為橫軸，解通了佃農分成的經濟密碼才拜讀馬氏與跟着的後人分析，我可能看不出他們的幾何圖表是有着嚴重的錯。錯在哪裡呢？錯在佃農的分成收入高於佃農另謀高就的收入！這多了出來的是無主孤魂，在市場競爭下不可能存在。

不是湛深的錯，只是有了佃農無效率的成見不容易看出。以上文的曲線示範，佃農的邊際收入曲線是在勞力的邊際產值曲線之下，佃農另謀高就的時間邊際成本是平線。佃農勞力投入的均衡點是該平線與佃農邊際收入的相交點。問題的出現，是這相交點的平線之下的方形收入是佃農另謀高就的時間成本或代價，但這方形之上與佃農邊際收入之下有一個三角形的收入，說是歸佃農所有。這明顯地是多了出來的，因為下面的方形收入已經是佃農勞力投入的最高代價。源自馬歇爾的幾何分析清楚地說該三角形的收入歸佃農所有，但原則上地主可以把該三角全部抽取而佃農還是不會另謀高就。因此，佃農的邊際收入等於他另謀高就的時間工資或邊際成本不可能是一個有經濟內容的均衡。

上述的幾何錯失歷時很久，接受着這錯失的經濟學者不少，有些直說那個多了出來的三角是地主送給農戶的禮物。今天回顧，我認為這錯失的歷久存在是源於經濟學者對競爭的含意掌握不足。

天才也被成見約束

雖然我屢次高舉斯密為經濟學歷史上最偉大的思想家，但說到理論的天賦，我認為沒有誰比得上馬歇爾。當年我只花一個晚上就想出來的今天還站着的佃農理論，以他的天賦，馬氏不需要用上半個小時——不需要依我的方法（見下節），因為後來我用他的方法也能推出我的結論。馬氏的失誤奇怪，因為他重視佃農制度。是的，馬氏曾經寫道："研究分成合約的多種變化會使我們獲益很多。"

從讀到的馬歇爾跟喬治（Henry George）的一次討論中，我認為馬氏本人對競爭含意的掌握足夠。他的失誤主要是受到傳統的風俗使然的五十、五十分成誤導。他知道佃農的分成率可有變化，但認為五十、五十是風俗習慣，不易更改。一八九四年，今天大名鼎鼎的英國《經濟學報》創辦，馬氏當主編。他選 H. Higgs 寫的《法國西部的佃農制》放在該學報首期的第一位置，可見馬氏重視佃農。但 Higgs 之作不是好文章：只考查了一個農戶，而該戶的分成率剛好是五十、五十！

成見可以是思想的嚴重障礙。令我費解的，是重視真實世界而又曾經跑廠考查的馬歇爾——重視佃農而又知道分成率有變化的馬歇爾——為什麼要跟着密爾去接受佃農的分成率是由風俗決定的呢？可能英國當時沒有佃農制度是訊息傳達的困難，但法國只在海峽對岸，佃農普及，為什麼馬氏那麼重視 Higgs 的只考查一個農戶的文章呢？

劍橋傳統有不足處

說實話，從今天處理經濟理論驗證的起碼要求看，偉大如劍橋的經濟學傳統，對真實世界的考查不到家。一九六八年，在芝大的書籍十分齊備的圖書館內，我追查承繼馬歇爾講座教授之位的庇古的關於農業制度出現的社會與私人成本分離的歷史與事實的資料，從庇古的多個註腳跟蹤他引用的讀物，一路從註腳轉註腳地追查，花了一個月也找不到任何支持庇古言之鑿鑿的證據。那所謂經濟科學就有這樣的困難。某作者憑空想像舉出一個例子，另一位引用，寫下註腳，如是者轉了三幾次註腳就變為事實！這是經濟學的悲哀。也難怪一九七二年我在華盛頓州跑農場與果園考查蜜蜂採蜜與傳播花粉的服務後，拿得數十份合約與一些市價的數據，發表《蜜蜂的神話》，行內譁然。要寫經濟學的神話，說之不盡。這樣的題材是過癮精彩的學問，也是貢獻，為什麼那麼少行內朋友嘗試呢？

這解釋為什麼我多次高舉考查事實或現象的細節是那麼重要。沒有細節的現象往往是神話，就算不是神話也不能教我們很多。多細節支持的現象不僅可靠性高，而且給我們在抽象的推理思考時照亮着什麼是可走什麼是走不通的路。

第四節：換軸看分成切地清晰

我不認為《佃農理論》是自己最好的作品。當年是學生，思想達不到後來的深度，而出道之後對世事的觀察累積了多年，理論與概念能用出的變化是當年無法想像的。這裡討論舊作是為了要帶到中國制度那邊去，順便向同學們申述一個理論發展的思想過程，希望能提升他們對經濟解釋的興趣。

當年解通佃農分成之謎有點碰巧。同學們知道，以幾何分析兩種生產要素，勞力與土地，我們可以勞力為橫軸（縱軸是工資或產值）或以土地為橫軸（縱軸是租金或產值），二者得到的效果或答案是完全一樣的。傳統的處理慣以勞力為橫軸，以土地為橫軸的少見。一九六六年的那天晚上，想佃農分成，坐下來，我在空白的紙上畫出的幾何圖表是以土地為橫軸，以勞力為橫軸的想也沒有想過。為何如此很難說，可能在感受上我假設自己是地主。奇蹟出現，因為很快就找到佃農分成的答案。我要到後來拜讀前人之作才知道以勞力為橫軸是不容易找到答案的。

起點相同但不畫平線

以土地之量（面積）為橫軸，縱軸是土地的平均或邊際產量的價值，也可看為土地面積的平均租金。為了引進不可或缺的邊際產量下降定律，這圖表假設農民的勞力投入固定不變。當土地之量增加，一條向右下降的土地邊際產值曲線出現。這些本科有教。引進佃農分成，雖然當時不知馬歇爾怎樣處理，但英雄所見略同，我採用的起手方法跟馬氏的完全一樣。那是把土地的邊際產值曲線乘以地主分成的百分率而求得一條地主的邊際收入曲線。當時我假設地主的分成是六，佃農是四，地主的邊際分成收入是以土地的邊際產值乘以零點六。即是說，從高度看，地主的邊際分成收入曲線的每一點是土地邊際產值曲線每一點的六成高，也即是每點向下移動四成。這跟馬氏的處理完全一樣，只是我的曲線代表着土地的產值變動，他的代表着勞力的產值變動，而我假設六、四分成是為了避免五、五分成可能導致推理時的混淆。大家的方法相同到此為止。

馬氏引進一條勞力時間工資的平線。我可沒有引進一條土地面積的租金平線。沒有想到該平線，因為要考慮的是分成租金。不引進工資或租金平線要怎樣處理呢？我的方法是從市場競爭的角度來約束佃農的勞力收入。從以土地為橫軸的圖表看，土地的邊際產值與地主的邊際分成收入之間的幾何面積是佃農的分成收入。在市場競爭下，地主之間要競爭，佃農之間要競爭，均衡是上述的二線之間的面積等於佃農另謀高就的收入，也即是佃農的固定勞力投入所值等於他的分成收入了。

移動豎線調校地量

這就帶來一個理論上的突破。以土地為橫軸，為了引進邊際產量下降定律我們假設佃農勞力投入之量不變。土地之量可變，我以一條垂直的線豎在土地的橫軸上來界定給予佃農的土地之量，此豎線的左右移動是佃農的土地面積的變動了。假設了佃農的分成是收穫百分之四十，把這豎線左右移動可以找到一個土地的量，使佃農的分成收入（上述的兩條邊際曲線之間由豎線約束着的幾何面積）等於他另謀高就的代價。但這均衡點不是真的均衡，因為調校給予佃農的土地量之外，地主還可以調校佃農的分成率。即是說，地主可以增加土地的供給量而調低佃農的分成率，或減少土地的量而提升佃農的分成率，而在市場競爭下佃農的分成收入不能低於他另謀高就的所得。

上世紀二、三十年代中國的農業資料，清楚地顯示着農戶租用土地面積與分成率的變化是有着清楚的市場競爭規律，皆與土地的肥沃程度與地點優劣有着簡單易懂的關連。另一方面，農民另謀高就的行為常有，而地主可以選擇固定租金或僱用勞力的合約。這些證據在本章第二節提到的卜凱教授與他的助手提供的非常詳盡的中國農業調查的報告中可見。

前輩切地下刀無方

一個地主擁有一塊龐大的土地，沒有理由全部租予一個只一家四口的佃農。他要把土地一塊一塊地切開放出去租給多家農戶。佃農受到地主切地的約束不是我首先提出。以切地的方法推出自己的佃農理論後，我追溯前人的有關論著，發覺一八三一年一個叫 R. Jones 的人寫地主給佃農切地，而一八四八年密爾注意到 Jones 的切地之說。但這兩位前輩皆接受了斯密的佃農無效率之見，二者皆認為分成率是風俗使然。他們認為切地切到農民僅可生存是極限，但 Jones 說地主往往反對把佃農的土地切得太小。我認為沒有引進邊際產量下降定律，理論上不可能決定地主怎樣為佃農切地。是的，雖然該定律始於一八二六，由

von Thünen首先提出，但要到一八九〇馬歇爾出版他的巨著才受到重視。後者是新古典學派的首要人物了。

看着土地租金切地與分成率的決定

輪到一九六六年的那天晚上，我從地主的角度為佃農切地，一切就中——後來找到的所有資料都說我切對了。怎樣切呢？我選土地面積的平均租金最高的那點切。平均租金最高是說地主擁有的土地的總租金最高。我跟着把土地的最高平均租金除以土地的平均產值而求得地主的分成百分率。以一減除這百分率就是佃農的分成百分率了。換言之，跟斯密與馬歇爾的傳統分析有別，我是先求得土地與勞力這些生產要素在競爭市場會怎樣用，然後算出分成百分率的均衡；前輩們是倒轉過來，先有一個分成的百分率，然後推斷那些生產要素會怎樣用。

破案的關鍵是想到土地面積的平均租金的最高處是競爭下的切地均衡點。怎樣推出這最高的平均租金呢？我採用兩條本科必教的平均曲線，雖然這二者的合併使用課本沒有教。其一是土地的平均產值曲線；其二是固定了的總勞力成本在土地的增或減中的平均勞力成本。把其一減除其二就是土地面積的平均租金曲線了。同學要注意，上述的平均勞力成本曲線你們的課本稱平均固定成本，但其實課本說的固定成本不是成本——覆水難收的成本不是成本。我的平均固定成本是成本，因為這"固定"只是假設不變，不是不會變或不能變——要變時是把整條曲線上下移動。

說清楚一點吧。假設兩種生產要素，土地與勞力。為了引進土地的邊際產值下降我們假設勞力之量（及其總成本）不變。土地之量增加，其平均產值曲線往往先上後落，有關的土地邊際產值曲線也先上後落，下降時必定切中土地平均產值的最高點。至於勞力（或非土地）的平均固定成本曲線，其形狀是本科教的、在同一線上每點的總成本相同的、土地量變動時成為一條四十五度向內彎的弧形線——幾何學稱"直角雙曲線"中的正數域那一條。以前者（土地的平均產值）減除後者（勞力的平均固定成本），求得的是一條土地平均租金曲線，先弧上，達一頂點，然後弧落。這後者的頂點是最高的平均租金。土地的邊際產值曲線由上而下，先切中土地平均產值曲線的頂點，繼續下降，再切中土地平均租金曲線的頂點。地主的分成率是最高的土地平均租金除以同一土地面積的土地平均產值，餘下來的百分率就是佃農的分成率了。

效果相同變化易看

這裡要作點補充。上述的土地平均租金曲線（包括最高的平均租金）可不是隨便把土地的平均產值減除勞力的平均固定成本，而是這固定勞力成本的增減會導致整條平均固定成本曲線上下移動。這上下移動會導致土地的平均產值曲線上下移動，而最高的土地平均租金是由這兩條平均曲線的微小移動相等而決定的。這兩條曲線的上下移動相等是說勞力的邊際產值等於勞力的邊際成本，從而決定了土地的最高租金或租值。又因為市場有競爭，這租金要受到土地與勞力的供應量的約束。另一方面，土地的邊際產值曲線穿過平均租金曲線的頂點，是代表着在有資源局限約束的競爭下土地的邊際產值等於土地面積的平均固定租金。如此類推，不引進交易費用，固定租金、僱用勞力、地主自耕、佃農分成等四種不同的安排，資源使用的效果完全一樣。

我們可以容易地加進如下幾項變化。一、勞力的總成本可以視為非土地成本，包括工具、肥料等。這些生產要素的引進會導致土地的平均產值上升，而分成率跟着的變動要看工具及肥料等投資是誰出的錢。誰出這些錢誰的分成率會上升——當年我找到的佃農合約樣本説得清楚。所以説佃農合約會削減土地的投資是不對的。二、土地的肥沃程度不同佃農的分成率會跟着變。較為肥沃的土地——平均產值較高——地主的分成率較高，是上文分析的明顯含意。支持這效果的事實很多，而最明顯是三十年代的中國資料顯示水田的地主分成率約高於乾地的二十個百分點。三、一個農戶可以提供的勞力多少對該戶土地面積的大小有決定性。當年我獲得的資料，是每戶的水田面積比乾地的為小，而有趣的是：一個農戶從多過一個地主租地常見，而一個地主租地給數十個農戶也常見。

台灣管制分成的效果

至於一九四九年台灣的第一期土地改革，管制地主的分成百分率從原來的平均五十六點八減至硬性的三十七點五，導致農產品之量上升，依上文的理論作解釋不困難。簡言之，這三七五分成租管促使佃農的分成收入高於他們另謀高就的收入，在市場競爭下他們一定要增加勞力及其他投入才可以達到另一個均衡點，產量因而上升會局部補償地主的損失。在這競爭帶來的佃農投入增加的調整中，佃農勞力的邊際產值會低於他們另謀高就的邊際產值，而佃農土地的邊際產值會高於地主自耕的土地邊際產值。這些轉變含意着的是某程度有租值消散。這方面，我當年的貢獻是能從台灣的土地平均產值轉變與農作物選擇的轉變，嚴謹推理，證實了這些邊際產值的轉變與分歧。那是《佃農理論》出版時的第八章，讀過的師友一律拍掌，可惜其他人一律不讀。分成租管不是本章要關注的，不多説了。

合約結構的思維

要說的是當年我提出要從結構看合約的思維是源於佃農分成的研究。其實所有僱用或租用生產要素的合約必有結構性，只是當年我要藉分成合約才看出來。簡單地說，地主以一個固定租金把土地租出，收了租什麼也不管，合約沒有結構。其實收固定租金地主也要管土地的保護與投資，於是租約也有結構——雖然不一定要寫出來。另一方面，佃農分成的合約，因為沒有一個租價，土地面積之外，地主一定要管佃農的勞力及其他投入。即是說，地主要管的不單是土地之量，還包括土地之量與非土地的生產要素的投入。這也是說，佃農合約一定要管土地與非土地這二者的投入比率，於是合約一定有結構。

當年寫論文時我沒有機會見到佃農合約的真實樣本，但肯定土地與非土地的投入比率會在合約上說明。後來在芝大的亞洲圖書館有幸見到農地固定租金與佃農分成的不同合約的真實世界的樣本，二者皆有結構，只是佃農合約略為複雜，而我事前推斷的土地與非土地的比率說明是清楚的。這裡的問題是合約往往不需要白紙黑字地寫出來。口頭的合約後人不足為憑，而風俗的約束也是合約，也有結構性，但作為事外的研究看便不容易拿出合約結構的證據了。實地調查，口述或風俗皆有迹可尋，屬證據，但沒有機會這樣考查免不了有猜測的成分。我當年堅信自己的推斷，是因為對競爭的概念有了足夠的掌握。在競爭下，佃農分成的合約沒有土地與非土地的比率約束是不會在市場存在的。

很多朋友說我的佃農理論是受到科斯的權利界定的影響。可能對，也應該對。但當年我的感受，主要的影響來自戴維德的捆綁銷售的口述傳統，因為這種銷售的合約必定有結構。

明白經濟運作要講深度

我花了三節的篇幅寫佃農分成，主要目的是要帶到中國的制度去。二〇〇八年我發表《中國的經濟制度》，雖然讀者多，但他們不會知道在該作的背後是有着很長遠的理論發展的支持。雖然我在一九八六年說清楚中國的農業承包，農民交給政府的是租而不是稅，我要到二〇〇四年才驚覺，中國一九九四年推出的增值稅不僅是租，而且是佃農分成合約的制度。

我希望同學們知道，一個制度的運作有深淺不同的層面。不夠深入往往不是真的懂。中國開放改革後的發展無疑是人類經濟歷史的重要一章，這三節分析的佃農分成合約應該給同學們提供了一個有點深度的基礎，也可讓同學們明白，要理解經濟制度的運作，指出資產權利與市場運作等老生常談雖然重要，但要真的理解是不夠的。

第五節：訊息費用解釋分成

我解釋過，合約就是制度，合約的選擇因而是制度的選擇。本章第二節可見，斯密分析的土地制度的發展是合約轉變的發展，雖然前輩的分析與史實皆不對，但他的思想傳統是經濟學最高明的了。下筆為文我有時說“合約”(contract)，有時說“制度”(system)，基本上沒有分別。牽涉一小撮人的“安排”(arrangement) 我偏於說合約；牽涉多人則偏於說制度。這些是武斷的取捨了。

經濟解釋脫離不了在局限下個人爭取利益極大化這個基礎假設，然後對需求定律（這包括邊際產量下降定律）、成本與競爭等概念要有足夠的掌握。主要困難是在局限變化那方面，因為牽涉到的是真實世界的約束，需要考查，也需要懂得怎樣簡化。這些我解釋過多次了。

起因難明的人為局限

從魯濱遜的一人世界轉到我們生存的社會，局限的複雜性上升了無數倍。假設資源有着明確的權利界定，漠視交易費用，馬歇爾的偉大傳統教我們很多。引進交易費用不易處理，但不能不處理，《經濟解釋》寫到這裡大致上我處理得稱意。知道局限的轉變，要推斷這轉變導致的人的行為會跟着怎樣變不是那麼困難。困難是在於我們有時要推斷或解釋為什麼一些人為的局限會那樣變。

資源稀缺是人類要面對的。從這些局限衍生出來的人為的合約或制度安排是另一些遠為複雜的局限。後者包括產權制度、管制法例等，皆可作為合約或制度的安排看。因為制度或法例皆源於人的行為，是人的選擇，為什麼會是如此這般地出現是經濟學需要解釋的一個重要部分。要推斷某管制法例或合約安排會帶來什麼效果，高明的經濟學者可以處理得好。然而，要解釋為什麼管制法例或合約安排會是如此這般地出現往往困難！別的不說，單是問：為什麼會有最低工資法例——即是問為什麼要用最低工資管制着市場合約——是非常頭痛的學問，遠比問最低工資會帶來怎麼樣的行為轉變來得困難了。我說過，牽涉到利益團體的運作我不是專家，可能是因為沒有興趣吧。

大致上，如果合約（包括管制）只牽涉到一小撮人，其中每個人有權參與或退出，解釋為什麼合約或制度或管制會是那樣，雖然不易，今天的經濟學還有可為。但如果牽涉到很多人——每個人不能不參與而參與後不能退出——又或者由一小撮人決定某些合約或制度而強加於其他人的安排，要解釋為什麼會有這些局限或約束難於登天。牽涉到多人的合約或制度的轉變，解釋永遠不易，而事前推斷遠比事後解釋困難。前者我平生只推中過一次重要的：一九八一年我肯定地推斷中國會轉走市場經濟的路。這是本章第六節的話題。

同學們要記住：解釋合約或法例或制度的出現或轉變我們不要管什麼好什麼不好。評論時事不妨表達自己的價值觀，但科學分析價值觀是大忌。這就帶到經濟學常說的無效率這個話題。我解釋過，那所謂無效率是指局限條件的指定不足，因而達不到有一般性的整體均衡。足以解釋某些現象的局部均衡分析可以出現無效率的情況，但這只不過是因為局限條件指定不足。如果所有局限都顧及——解釋現象往往不需要——說無效率是邏輯欠通的。說社會每個人在局限下爭取利益極大化，定義上人類自取滅亡也是這爭取的結果。

舊文有得有失

一九六九年四月我發表《交易費用、風險規避與合約選擇》。發表前芝大同事 Z. Griliches 讀稿後，認為該文會把經濟學改變些什麼。一九八七年此君訪港，相聚時他說："當年我說你寫的合約選擇會改變些什麼，說對了，今天的代辦理論（Principal-Agent Theory）是從該文發展起來的。"後來 S. Rosen 也這樣說，而且認為我觸發了合約分析的盛行。楊小凱曾經在一篇文章中提到一位朋友把我的風險規避與合約選擇化作方程式而獲獎——我知道，因為多年前我評審那方程式文章。還有的是，我在合約選擇一文內提出卸責（shirking）的行為，可能是博弈理論捲土重來的導火線。

今天多年過去，自己怎樣看一九六九的文章呢？我認為該文觸發了行內對合約的興趣是貢獻，但從解釋行為的角度看，該文提出的風險規避與卸責行為是敗筆。我今天認為，解釋合約的選擇，專注於交易費用（包括訊息費用）的轉變是唯一可以走得通的路。不是說沒有風險或卸責這些事，而是這些現象的轉變在真實世界難以鑑定，要推出可以驗證的假說很困難。我解釋過為什麼我不再用"卸責"，這裡說說風險吧。

言不成理的淺現象

當年我要解釋的是一個淺現象：農地的租約有佃農分成與固定租金，二者農民與地主洽商選擇。關鍵問題是，佃農分成的監管費用是明顯地高於固定租金。在佃農分成下，地主要久不久監察佃農的操作，要僱用專家估計每畝的產量，而收穫分成時要防止佃農把部分收藏起來，也要防止被分得劣質的產品。佃農呢？要防止地主出術，選用一把斤兩偏輕的秤。這些在三十年代的中國農業調查的報告中屢有提及。固定租金可沒有這些麻煩：如果以穀或米作固定租金，記載說地主主要重視夠乾。佃農分成的監管費用明顯地比固定租金的為高，為什麼前者會被採用呢？

是大麻煩，因為言不成理：只有地主與農民兩方面的簡單洽商，你情我願，為什麼他們會選擇監管或交易費用較高的合約安排呢？我採用"風險規避"（risk aversion）這個當時流行的觀念作解釋。不是樂意的：我曾經三次拿開風險規避，但也三次放回去。何謂風險規避呢？如果我給你兩個選擇，其一是在一個紅包內有一千元現鈔；其二是在一個灰包內可能有二千元現鈔，也可能是廢紙，機會絕對是一半一半。你選紅包還是灰包呢？選紅包，你就是個要規避風險的人。紅包與灰包的價值應該一樣，但為了規避風險選紅不選灰，甚至五成機會有現鈔的灰包裡是略多於二千元你也選紅包。這樣看，雖然分成合約的交易費用較高，為了大家分擔風險，農民與地主同意採用分成合約。

分擔風險邏輯困難

以分擔風險（risk sharing）的需要來解釋分成合約的選擇不是沒有支持的。當年台灣的農業資料顯示，種麥的收成方差（variance，即變異數）遠比種米的為高，而中國大陸的資料顯示，解放前的佃農分成合約種麥的比種米的普及。另一方面，當年的日本少用佃農分成，而該國的政府推行強迫性的農業購買收成保險。

我對以分擔風險來解釋佃農分成不滿意，有四個原因。其一，以收成量的方差來衡量風險，雖然行內慣於這樣看，卻有這樣的問題：如果這方差預先知道，是否還有風險是問題。其二，以收成算方差，時間上怎樣切可有很不相同的數據，何況所有農戶皆輪植不同的農作物。其三，從一個人獨佔產品到兩個人分成，個人的收入方差是下降了，可以看為分擔風險。然而，再增加人數個人的收入方差不會再下降。好比在股票市場，同一股票，人多人少其股價變動的方差風險不能分擔，規避風險要用不同的股票組合。

其四，弗里德曼與J. Savage一九四八年發表的大文，也是以收入方差量度風險的，解釋進賭場下注與購買保險可以是同一個人。這樣看，以分擔風險來解釋佃農分成不容易。記得一九六七年的冬天，在蒙代爾的家酒會後，弗里德曼和我一起步行，他問為何會有佃農分成，我答：“我知道你不會同意，因為我用分擔風險作解釋，但我真的想不出其他方法。”過了兩天，舒爾茨告訴我，因為我說了這句話，弗里德曼要芝大聘請我作助理教授。

同學要練習想像

那一九六九年發表的《合約的選擇》牽涉到不少關於農地合約條款的選擇，戴維德親自走來對我說是難得一見的好文章。自己今天重讀，不滿意卸責的提出與對風險規避的重視，但事實細節的處理與思考變化的表達還是感到有點自豪。在該文中，如下憑事實想像推理的例子今天的同學要練習仿傚。

解放前的中國，農業的固定租金合約有一種稱"鐵板租"，即是不管有什麼天災租地的農民也要交一個不能更改的租金。另一方面，有些固定租金合約中有減責條款（escape clause）。後者說明如果遇到大失收或饑荒情況，地主要依照本地的風俗，跟着風俗之見減租。有減責條款的固定租金當然略比鐵板租的為高。不難想像，如果交易或風俗費用不考慮，固定租金合約可以有很多的減責條款，處理不同的"饑荒"層面，每層的固定租金的遞減略為不同。是無聊的想像嗎？不是的，因為佃農分成是等於有無數減責條款的合約。另一方面，我們可以把想像倒轉過來，以佃農分成為起點而加進減責條款，加到保護地主的盡頭是鐵板租，加到保護農民的盡頭就是時間工資合約了。

減責條款要有風俗協助

一九三五年金陵大學的調查顯示，上述的減責條款在百分之八十三的以交農產品實物為固定租金的合約找到，但以交貨幣為固定租金的合約，減責條款的存在只有百分之六十三。這分別不難理解。農業普遍失收時，農產品的市價會上升，交出貨幣為固定租金的農民受到這價升的保護會高於要交出實物的，所以減責條款對交貨幣的沒有對交實物的那麼重要。

固定租金合約有加進減責條款的選擇無疑會增加這種合約

的採用。記得當年我調查亞洲不同地區的習慣，只有中國該減責條款常見。這條款的出現顯然需要有一個悠久的文化風俗的支持。農民説是饑荒，地主説不是，吵起來法庭難作判斷。這類爭議不能由法律解決，但風俗可以。風俗説是饑荒，也會説是怎麼樣的可憐層面，農民減責每個不同層面應該減多少，風俗習慣的存在可以很快作出判斷。不接受這風俗之見的地主或農戶會遇到不容易再找到合作伙伴的困難。

報酬較高源於監管費用

儘管今天我放棄了以規避風險來解釋佃農分成，我不能否認，不肯定的預期收入，以或然率打了折扣後，會偏於比肯定的預期收入高一點。因為有或然率的存在，不會千篇一律，但昔日亞洲的農業資料顯示着有這樣的傾向。你説這多出來的一小點是風險報酬（risk premium）我很難跟你爭論，但我可以用交易或訊息費用的存在來解釋同樣的現象。如此一來，以交易或訊息費用的轉變作為風險高低的替代是高明的選擇，因為可以避去上文提到的幾點在邏輯上“風險”會給我們帶來的困擾。

以昔日亞洲的資料為例，地主的分成收入略比固定租金為高——不一定，但有這樣的傾向。以交易費用作解釋我們要從兩方面看。一方面，地主有權選擇固定租金合約，採用佃農分成他的監管費用會較高，所以算進收成的或然率之後地主期待的分成收入會略比固定租金為高。另一方面，佃農分成合約的採用不需要引進風險規避，取而代之的是引進訊息費用。是的，因為關於未來天氣等訊息費用不菲，甚至高不可攀，農業的性質使議定合約時難以知道收成時的產量。分成合約可以解決這個因為訊息費用的存在而出現的不知量的困擾。

不知量解釋分成

在卷四分析公司性質時，我支持科斯之見，說市場的不知價促成公司組織的出現。這裡我要提出的，是分成合約的出現主要是因為參與的人不知收成時產品的量。我想到這方面的訊息問題，是源於美國的龐大購物中心或大商場的處理。由一家機構持有股權，一個購物中心或商場把多個鋪位租出去，通常一律採用分成合約，出售不同物品或服務的商店有不同的分成率，而招徠甚眾的名牌寶號需要付出的分成率很低。食肆、大小不一的物品商店等，同類的分成率通常一樣，但不同類的有不同分成率。一般是有一個低的基本租金（basic rent），各店不同但固定，然後各店再加一個分成租金，行業不同分成率不同。美國稅制的法例協助商場以分成合約處理。今天在香港及內地的百貨商場也有採用類似的分成安排，但恐怕租客瞞騙要由一個集中的部門收錢，不像美國那麼普及。

我認為因為訊息費用不菲，商場或購物中心的不同商店的銷售量難以事前知道，採用基本租金加分成是遠為容易達成租約協議的。隨意的觀察，是通過分成合約的商店，關閉轉換租客的頻密度是遠比固定租金的為低。因為有分成協議，業主有權查核各店的銷售量，從而考慮是否要調校基本租金或分成率。

來去縱橫數十年

結論是明顯的。訊息費用屬交易費用。採用交易費用的局限轉變來解釋合約的選擇或機構的組織永遠比風險規避或卸責行為容易得到可以驗證的假說。這是因為在觀察上交易費用的轉變可以鑑定，而量度這轉變不需要用基數——用序數排列高低足夠。不是很容易地推出驗證假說，但可以做到：無論座位票價、捆綁銷售、玉器市場、討價還價、全線逼銷、換油合約、價格分歧、隔離收費，等等，幾卷《經濟解釋》處理過的不下數十項，而有趣定律的發現——源於交易費用的——不下兩掌之數。這些是老人家在一門學問上來去縱橫數十年的收穫了。方法一律相同：考查交易費用的轉變，找尋現象或行為的規律，然後以序數排列而求選擇。

第六節：推斷中國改制的理論結構

起自一九七九年的中國開放改革是人類歷史最具震撼性的一章。科斯認為沒有其他事項能比我們見到的中國改革與發展對人類的將來有更深遠的影響。從經濟學術那方面衡量，傳統的經濟增長或發展理論被中國的經驗全部推翻了。機緣真的巧合：我是地球上唯一的受過西方經濟教育而有機會全程跟進中國的經濟改革的人，可說不負此生。為了回應孫冶方先生一九七八年十月發表的《千規律，萬規律，價值規律第一條》，一九七九年十月我發表《千規律，萬規律，經濟規律僅一條》，是自己第一篇中語文章，算是我跟進中國的序幕演辭（一笑）。

早些時，一九七九年的夏天，倫敦的經濟事務學社的主編來信，說撒切爾夫人的辦公室提出如下問題：Will China go capitalist?（中國會走向資本主義的道路嗎？）說明答案是要學術性的。該編輯是朋友，要求我以該題寫一短文。為此該年的秋天我到離別了二十二年的廣州一行，跟着關注中國，一九八一年寫好的長文足以印成一本獨立的小冊。經濟事務學社要立刻發表。

雖有保留死不悔改

兩個原因我對發表有保留。其一是我認為北京不會喜歡那個題目。倫敦那邊堅持該題甚佳，不要改。其實我也認為該題甚佳，但北京信奉的"資本"概念源自馬克思，而我學得的卻源自費雪。幾番商榷，最後大家同意把"資本"一詞加上引號。毫無作用，頻頻碰壁，今天我索性把引號移除。*Will China Go Capitalist?* 一九八二在倫敦出版（下文簡稱《中國》）。二〇一二年科斯與王寧寫了一本厚很多的 *How China Became Capitalist*，說是我一九八二出版的《中國》續集，在北京出版的譯名卻是《變革中國》，多麼可惜！

遠為頭痛是第二個原因。一九八一年寫好《中國》後，我把文稿寄給多位行內朋友閱讀，竟然沒有一個同意我對中國會改走市場經濟的路的肯定推斷。後來才獲諾獎的科斯奇怪地沒有回應，但他的沉默是我當時得到的一小點鼓勵。一九七六獲諾獎的弗里德曼客氣，說我是世界上最樂觀的人。後來獲諾獎的諾斯說我發神經。後來也獲諾獎的貝克爾強烈反對。一九七九獲諾獎的舒爾茨來信譴責，直言經濟學不可以推斷經濟制度轉變這種與經濟學無干的話題！我終於決定發表是因為華大的同事巴澤爾。巴兄說他不同意中國會轉走私產與市場經濟的路，但同時又說我推斷中國改制的理論半點瑕疵也沒有，難得一見，不發表可惜。奇怪巴兄到今天還沒有獲諾獎！

今天回顧，我給自己打滿分的，是在"千夫指"的情況下我完全沒有軟化自己的推斷。在文中我解釋得清楚：沒有肯定的推斷不會有可以驗證的假說，而有關的局限開始轉變，而走回頭路需要的局限再變邏輯上不容許。還有什麼選擇呢？文中我提到：

> 中國可能永遠不會在官方文字中形容自己的制度是"資本主義"，甚至不會起用"私有財產"一詞。我的推斷只是中國會採用一種產權的結構，在運作的性質上跟一個基於私產的經濟

相同。

其後我再補充：

我對中國的產權結構會轉向近於私有財產的制度的推斷需要緩和一點。私人的使用權與轉讓權是程度上的事，而世界上沒有國家會把私產擴展到所有資源去。我不會極端到推斷中國的郵局、公共交通、石油資源——那些政府在相對上容易維護壟斷的行業——會有一天改作私營。但我見到私人的使用權與轉讓權會授予勞力、工具、機械、建築，甚至土地。

是的，要不是當年那麼多的大師反對，我可能寫得更為詳盡，預先把好些中國改革的細節寫出來。

私產定義與改制解釋

在《中國》小冊中我提出的私人財產的定義，基本上源於自己一九六九發表的《合約結構》，包括使用權、收入享受權與轉讓權。私人所有權是不需要的。這是八十年代中期我建議中國的承包制要把使用權與所有權分離的原因。所有權保留為國有可以維護社會主義的形象。一九八六年《中國》小冊再版時，在補加的後記中我説農業的承包制已經走上了私人財產的路。

產權結構是合約安排。我指出過，要解釋產權結構的轉變或選擇一般遠比解釋有了產權結構的合約選擇困難，而事前推斷產權結構的轉變比事後解釋更困難了。不管舒爾茨怎樣説，經濟學不能否認，產權結構的轉變是人為的選擇結果，只是牽涉到多人的選擇，意見不同，有些自願有些強迫，加上要在事前推斷其變，其困難程度不容易誇張。一九八一年我推斷中國會改走市場經濟的路，是事前的推斷，牽涉到無數的人，有些自願有些強迫。這種人類歷史大事我平生只有機會推過這一次，命中率一百分。不是猜中，而是當時中國的局限開始轉變明確，加上時來運到，我想出一個完整而又簡單的制度轉變的理論。當時不認為怎麼樣，但今天回顧該理論的結構實在好。

廣州之行大有收穫

一九七九的廣州之行，得到姊姊與朋友的招待，三天內我學得很多，其中兩項觀察是我後來推斷中國去向的基礎。第一項是我察覺到，當時中國的各行各業的幹部都有着非常詳細的等級排列，每級有着不同的物質享受權利。驟眼看外人不容易接受這方式的收入分配，但過了不久我意識到這等級排列的出現是為了減低在沒有以資產界定權利的情況下必會出現的租值消散。這思維源自我一九七四年發表的《價格管制理論》。從等級排列的觀察我立刻想到，中國經濟改革的唯一好去處，是要把等級排列權利轉到以資產排列權利那邊去。

廣州之行的第二項重要發現，是姊姊的親屬及朋友皆整天忙於搞關係，走後門，為的只是要買兩隻雞蛋之類的瑣事。今天的同學可能不相信，但當年的實情確如是。這使我想到當時的中國，交易費用作為國民收入的一個百分比一定高得離奇，而只要這百分比能下降一小點，國民收入一定飆升。我的判斷是這高得離奇的交易費用需要資產的權利結構有所改變才會下降，而這改變必會帶來的收入急速上升對需要的改革會有大助。

帕累托的延伸與科斯的失誤

一九八三年，出版了《中國》小冊後，我對美國的朋友說，中國某些地區在未來的幾年每年增長百分之五十是容易的。他們又笑我發神經。蠢到死，有什麼可笑呢？從零上升百分之一百還是零。一九八四年，珠三角有幾個地區的增長率超過百分之五十。

一九八〇至八一年間我寫好的推斷中國會改制的理論，是以交易費用的局限轉變為重心。在基礎上我提出三點。一、交易費用包括所有一人世界不存在的費用，應該稱為制度費用。這點一九七四年我提出過。二、如果所有局限條件皆顧及，帕累托條件或至善點一定滿足，沒有無效率這回事。這點一九七四年也提出過。三、如果所有交易費用是零，不需要有市場，也不需要有資產的權利界定，資源的使用會達到最高的價值。這是說，科斯定律一方面假設交易費用是零，另一方面假設資產有清楚的權利界定，是重複了，邏輯上有失誤。這點是新的，科斯後來同意，一九九一年阿羅也向我表示同意。在這三點的約束下，中國改革前民不聊生的日子滿足帕累托，開放改革被處理為起於交易或制度費用的局限出現了轉變，資產權利的結構轉變與市場的興起也是朝着帕累托指定的方向走。

把交易費用分門別類看

跟着的理論發展是把交易或制度費用分門別類，在觀察上看到每類怎樣變，推斷會跟着怎樣再變，解釋為什麼不可能不變，整個理論的結構就變得完整了。市場活動的湧現與經濟的急升是無可避免的效果。

我以兩層分類，都簡單。第一層是把交易或制度費用分為兩部分。其一是現存制度的運作費用：這些是今天老生常談的在現實社會中的非生產費用，更清楚是看為魯濱遜的一人世界不會存在的費用。其二是改制費用：從一種產權結構轉到另一種的費用——當年我的主要考慮是中國要從以等級排列或界定權利轉到以資產界定權利那邊去。

這第一層的分類有三個明顯的含意，皆按着帕累托的思維推理。一、如果改制費用是零，運作費用最低的制度會被採用。二、如果改制費用不是零，運作費用較低的制度可能不被採用，而改制費用愈高現存的運作費用較高的制度愈會受到保護。三、如果另一種制度是有着較低的運作費用，這制度的採用要基於改制費用低於改制後的制度運作費用的節省。

第二層分類是破案關鍵

上述三點是近於套套邏輯的思維，說了近於沒有說。當年苦思良久，終於在一個晚上我想到在交易費用的處理上再加一層分類，一個完整可用的理論冒出來了。這第二層分類是把改制費用分為訊息費用與抗拒費用兩種。前者是要知道其他制度怎樣運作及效果如何的訊息費用；後者是要説服或強迫那些認為改制會受到損害的人，尤其是那些大有權力的在以等級排列權利中的優勝者。

看似簡單，其實也簡單，這第二層的分類當時讓我看得清楚：一九八一年中國的改制費用正在急速下降，其原因使我肯定不會回頭上升。最明顯是訊息費用的下降。當時鄧小平說要把大門打開，讓外間的訊息進來。我的意識是鄧老不會言而無信，但朋友認為他曾經三落三上，再落而使大門再關的機會存在。然而，我見到香港的市場運作的訊息像狂潮那樣湧進了內地，訊息的大門怎還可以再緊密地封閉呢？還有兩件瑣事使我堅信訊息的通道不能再封。其一是一九八〇年我成功地把在內地的兩個姊姊的兩個女兒弄到美國去求學。我可以，其他人也可以，一下子有幾千個內地的青年到了美國。這些青年一律是高幹子弟！其二是一九七九年我發表的第一篇中語文章，內裡提到的“交易費用”一詞在內地不脛而走。我因而在《中國》

小冊內提到：中國的朋友沒有一個不是交易費用的專家！

政治天賦價值下降

至於得益分子或幹部的抗拒帶來的改制費用，我認為一九八一年也開始急速下降。這方面的證據遠沒有訊息費用下降那麼清楚。我在《中國》小冊內提出好些間接的證據，同學要找該作細讀（或讀我的《英語論文選》的第二十二章）。這些包括改革初期國民收入的急升會削弱抗拒改革的意識。但當時我認為最重要的，是維護等級權利的準則是明顯地改變了：鄧小平復出之前等級的維護重視"思想正確"的政治意識；一九七九年中國的朋友一律開始上交易費用的課。我在小冊內寫道：

> 作為競爭的主要規則，政治的服從開始下降。有三種效果。其一，因為思想教條的強迫力急速下降，幹部要維護他們的現狀的費用是上升了。其二，這些費用上升帶來的效果是政治天賦的價值下降。其三，這些準則的轉變使幹部的競爭優勢出現了疑問。

誇張例子是老人家當年的秘密

一九八四年，見到混亂的珠三角的好些地區的經濟上升得急，也見到一些企業以合同工取代國家職工，我為文說中國不可能走回頭路。不同意的聲浪不絕於耳。外人不知道，我當時的判斷是基於一個很完整的理論。事實上，《中國》那小冊很少人讀，而讀過的師級人馬近於一律不同意。我很想知道這些反對的大師們——可惜還健在的只有一個——今天會怎樣想。

一九八一年我對中國改制的推斷沒有一絲博彩的意圖：從頭到尾的肯定文字是把自己的名字押了上去，稍有差池輸不起。外人可不知道，我的準確推斷有一個他們沒有注意到的秘密：當年我見到的中國是一個歷史上沒有出現過的誇張例子——封閉誇張，開放誇張；等級誇張，無知誇張；政治教條誇張，交易費用誇張；貧窮誇張，增長也誇張。說過了，我是個喜歡處理誇張例子的人。

上文提出的牽涉到無數人的改制理論有一般性：該理論的結構簡單清楚，加進足夠細節的補充會有廣泛的解釋力，可以處理當年舒爾茨認為經濟學者不應該染指的制度轉變的整個話題。當然不容易，驟眼看不可能，但當時中國提供的現象來得那麼誇張，把很多通常難以觀察的細節放得很大，讓我看得清楚。這是運情。我適逢其會，而從師友學得的產權及交易費用的學問，加上自己多年的改進，剛好用得着。

第七節：層層分成與縣際競爭

一九八〇——八一年間推敲中國的去向時，我知道“包產到戶”開始在內地的農業興起，看來重要，但混亂，轉變頻密，不是調查研究的好時機。中國要到一九八三年在農業興起的“包乾到戶”才在承包合約上有明確的眉目。“乾”是指三項政府徵收，固定的，一般看為稅，我認為是租，而包乾合約的轉讓出現，稱“轉包”——後者稱呼今天還存在。

改約轉制通道絕佳

非常感謝港大同事蔡俊華。他把自己收集多年的關於中國農業的承包責任制的發展資料全部給我參考，讓我只用兩個星期寫好《從“大鍋飯”到“大包乾”》，一九八四年十一月十五日在《信報》發表。當時我已經知道自己一九八一年推斷的中國去向是推對了。

早在一九六八年，在芝大我看到一本共產中國的關於合約法律的書，奇怪沒有私人財產的國家會有合約法律。當時跟施蒂格勒與德姆塞茨提到該書，他們認為可能是紙上談兵，沒有用場。我見該書很厚，認為沒有用場不會花那麼多的筆墨寫出來。蔡俊華提供的資料證實合約早在共產中國存在。其含意重要：中國的權利結構改革可從修改合約這通道走，絕佳，因為不僅可以避免另一次流血革命，而且修改合約帶來的效果會是穩定的。

協助頂級調查失敗

一九八五年，查濟民先生給港大提供一些研究金，讓我僱用由深圳政府選出來的三位青年作助手，調查中國的工業承包合約。不可能有更好的研究條件：要求任何合約樣本與企業資料，凡求必有。天下沒有其他國家的政府會這樣協助學術研究。這項研究一敗塗地，因為我拿到的工業承包合約頻頻變換。那是改革發展的初期，政府上頭與工廠下頭爭論頻密，沒有定案，而學者是不應該參與這些爭論的。這個時期我的中國研究可沒有交白卷：一九八七年六月我出版《再論中國》，據說是當時最多北京朋友閱讀的外地經濟書——該書及一九八五年出版的《中國的前途》各被北京當局翻印了兩千本，指明是內部閱讀的。

一九八四年我知道內地的工業有"層層承包"這回事，不以為奇，屬外間的判上判安排（稱 subcontract），當時的香港及美國皆普及。一九八六年，北京的朋友安排我到那裡的首都鋼鐵廠的宿舍住了幾天，考查他們的工業承包，沒有收穫；跟着他們帶我跑杭州，跑溫州，也沒有收穫。是說研究上沒有，但認識的幹部朋友為國家的拼搏使我知道當時外間的負面評論一律有偏見。

工業承包柳暗花明

今天回顧，工業承包從來沒有在中國成功過。跟農業承包相比，工業有兩項難以解決的困難。其一是工廠屬國家，其中的廠房、工具、機械設備等需要維修保養，也需要久不久增加投資，要哪方出錢呢？還有，產品、工具甚至機械皆可給工人偷去，要誰負責呢？農業沒有這些困難，屬國家的主要是土地，而農戶的成員是一家人，只要承包合約年期夠長，再投資是農戶的事。是的，八十年代的中國，再投資或維修保養的錢，在工業承包下政府與廠方常有爭議，近於無從解決。

其二，除了有政府維護着壟斷權利的，當時的國企工廠一律虧蝕。進入九十年代，這些工廠的工具、機械等折舊折到零，而又因為國家職工不容易解散，有些工廠免費送出去也沒有人要。我當時建議國企工廠實行股份化，把股份贈送給員工。也難成事，因為股份化要有錢賺，有收入，才有可為。後來股份化成功地在某些有收入的國企推出，但主要是靠政府維護某程度的壟斷。是的，九十年代中國國營的虧蝕工廠的困難，不是需要再投資——沒有誰要挽救無可救藥的工廠——而是廠內的工人一律是國家職工，不補償不能解散。當時北京補貼這些工廠，叫苦叫出聲來。

柳暗花明，二〇〇〇年中國通縮終結，地價上升。這上升是挽救虧蝕國企的主要原因，其實是協助關門，因為地價夠高容易補償國家職工退役。尤其是昔日的舊廠通常建在城市熱鬧地帶，只要政府容許改用途，投資買廠可以把工廠轉到郊區去。偷龍轉鳳，長沙是有名的例子。買廠其實是買地，不難找到投資的人。其實為地而買廠的投資在九十年代初期出現，跟着的地價下跌使下了注的損手。另一方面，補償解散職工沒有政府出手不易達成協議。

地區幹部是地主嗎？

八十年代後期，我聽到承包責任制伸展到地方政府的運作去，也聽到地方政府與北京上頭在財政上常有爭議。不認為學者要跟進。九十年代中期我聽到工業的層層承包被引用到大小層面不同的地區去，今天回顧當時應該跟進，但沒有。

重要的發現是一九九七年。該年到昆山去為家族的一間在香港虧蝕的小廠找地盤，遇到不同地區幹部"爭客"，情況的激烈我前所未見。當時中國的地區競爭大家早有所聞，而地區競爭不是中國獨有。但昆山之行我的感受很特別：只要投資者考慮下注，什麼條件皆可商量，級別不同的幹部說同樣的話，而投資者有什麼獨特的要求，不出幾天一定有答覆。幹部彷彿是"地主"，怎麼可能呢？

我要到二〇〇四年初才知道，地區幹部果然是地主！證據是土地的使用權與轉讓權清晰地落在縣政府的手上，而土地的收入權益是有着明確的地區層面的界定。是分成制，每層的分成率有別，是層層分成。土地的所有權還屬國家，但這對土地的使用效率毫無影響——英國的經驗如是，香港的經驗也如是。

沒有業權的競爭對發展無足輕重

雖然行內朋友認為我的英語文字清楚，他們有時誤解了我。二〇〇八年為科斯寫好的《中國的經濟制度》(下稱《中國制度》)，詳細地分析縣際競爭，不少行內朋友說：地區之間的競爭舉世皆然，有什麼奇怪了？他們提出英年早逝的Charles

Tiebout一九五六年發表的關於美國不同地區的互相競爭與財政問題那篇大名文章，以為我不知道。Tiebout在洛杉磯加大任教時我是該校的研究生，當然知道。關鍵問題是：參與競爭的人有或沒有跟競爭有關的業權是兩回事。我開一間小食店，業權是我的，要跟隔鄰的小食店競爭；你是我的朋友，為我的店子打氣、拉客，不可能跟店子是你的那麼賣力！

本來我不要回應行內一些朋友的質疑：地區競爭到處都有，所以中國沒有什麼特別。但最近讀科斯與王寧合著的《變革中國》，其中提到我說的縣際競爭，說不同的地區層面也有競爭。科斯與王寧沒有錯，但他們看不到我要說的重點：競爭者沒有業權，這競爭對經濟發展基本上無足輕重！

權利界定地區清晰

在《中國制度》文內我是這樣說的：

> 經濟權力愈大，地區競爭愈激烈。今天的中國，主要的經濟權力不在村，不在鎮，不在市，不在省，也不在北京，而是在縣的手上。理由是：決定使用土地的權力落在縣之手。……一個發展中的國家，決定土地使用的權力最重要。沒有土地就沒有什麼可以發展。土地得到有效率的運用，其他皆次要。……
>
> 競爭的激烈程度決定着土地使用效率的高低。人與人之間競爭，户與户之間競爭，機構與機構之間競爭——傳統的經濟分析，這是所有的競爭了。中國的情況，是在同層的地區互相競爭，而因為縣的經濟權力最大，這層的競爭最激烈。……多加了一層競爭是經濟奇蹟在中國出現的主要原因。

在文中我沒有說縣政府是土地的業主，為恐引起無謂的爭議，但從使用權、轉讓權（即議定及授予土地使用的權力）及收入權來看，縣政府的權利界定皆清楚。這些跟作為土地的業主是沒有分別的。使用權與轉讓權清楚，不用再說。要說的是土地收入的權利界定，主要是投資者、縣政府與上頭市政府這三者之間。全部是以分成合約處理。我的調查止於二〇〇七年，之後沒有跟進。至於市與省、省與北京的分成我也沒有調查，但這層層分成顯然存在。

收入分成有方程式

只談工業用地，因為變化最多，也最有趣。中國的工業用地不少是從農地改過來的，新的全部皆是。二〇〇七年，縣政府收地補償與改進約人民幣十多萬一畝，檔次不俗，一般水平高於美國。改進了的工業用地可以由縣政府賣出去也可以送出去，彈性高，主要看投資設廠的人會給縣的整體帶來什麼利益，包括經濟學說的外部性考慮。如果賣地有價，縣的分成通常超過地價的一半，餘下的交上層。不同地區的縣有不同的賣地分成率。

引進投資縣幹部有獎金，可以看作經紀佣金，不同地區的百分率不同，而這百分率一般是早期高於後期的。分成獎金是按投資者的投資總額，資金打進了銀行才算。說不得笑，我知道在某黃金地區的黃金時期，一個招徠有道的幹部累積了幾個億人民幣獎金。

最重要的縣收入是增值稅，即是工業產品扣除原料成本的所值而抽的一個百分率，一九九四年初起全國劃一為百分之十七。這百分之十七的增值分成率，縣所得是其中的四分之一，即是產品增值的百分之四點二五。後者分成率也是全國劃一的。

租與稅的分別重要

這就帶到非常重要的一點。二〇一三年北京提出把增值稅擴展的性質我沒有跟進，但我調查縣際競爭時發現，中國工業的增值稅明顯是租，不是稅。在卷四第四章第二節我分析了租與稅的分別，主要有三點。一、租金是基於一些指定的資產使用權利的轉讓來收取的，例如廠房或土地——稅沒有資產轉讓的指定。二、租是使用資產的人有權不參與，即是有權不租——稅沒有這個選擇。三、租是凡使用有關資產就要交，不管有沒有錢賺。

這裡含意着的是一個尷尬的問題。經濟學者歷來反對抽高稅，可沒有反對收高租。斯密當年落筆打三更，把佃農分成收的租作為政府抽稅看。我今天認為，那些所謂自由經濟學派反對政府參與經濟活動有點糊塗。使用資源，不管業主是誰，不交租是缺少了通過市場引導資源的使用，雖然你稱租為稅我不會跟你打官司。有經濟效率的資源使用不一定要通過市場，但如果選擇市場的引導，租值極大化是效率極大化。至於資源使用者交出去的租（或稅）會怎樣花是另一回事。

商場比喻與地價調校

上文提出的租與稅的分別重要，因為前者是直接地聯繫着資源的使用，其升或降是資源使用效率的量度。通過增值稅的分成處理，加上縣與上頭的層層分成，無效率的資源使用所有的人都會受損。所有的人因而關注着縣幹部選擇的投資者會帶來什麼貢獻。

在《中國制度》文內我提到，中國的縣可以作為企業看，而適合的比喻是一個龐大的購物商場。租用商場的客戶可以比喻為縣的投資者。商場收的基本固定租金可以看為縣收的地價，而商場收的分成租金可以比喻為增值稅。商場的大業主選租客（縣幹部選投資者），多方面給租客提供服務（縣也如是），而有號召力的租客（投資者），商場（縣）會給予不少優惠條件。二○○六年底中國有二千八百六十個縣，互相競爭的激烈可想而知。

我在《佃農理論》提及，佃農分成地主要監察農民的操作，因為產出愈少地主的分成收入愈低。縣幹部對投資者的操作關心也如是，提供協助的意向也因為分成而增加了。二○○四年底，以佃農分成的思維解釋中國的縣際競爭時，一個難題困擾了我幾個月。佃農的分成率變化多，但中國的增值稅（分成也）卻是全國一致為百分之十七，怎可以有效率呢？終於在一個晚上我想起作研究生時讀到馬歇爾的一個註腳，使我想到縣政府可以在地價上作調整。跟着的考查不僅知道不同的投資者付出的地價變化大，而且遇到上佳的投資者縣政府可以把改進了的土地免費送出去。我也知道一些上選的投資者可能獲得幾年退還增值稅的待遇。

經濟解釋的威力

推斷與解釋有事前或事後之分，理論可以一樣，處理方法不一定相同。事前抑或事後比較困難要看面對的問題了。一九六七年寫《佃農理論》時我沒有合約樣本在手，但推斷佃農合約會指定農戶的非土地要素投入。一九六八年在芝大找到佃農合約的真實樣本，證實我一年前的推斷。

二○○四至二○○七年考查中國的縣際競爭，我從幹部朋友中獲得幾份他們跟投資者簽訂的合約樣本，縣提供的土地與投資者的非土地投入的指定，跟當年在芝大見到的佃農合約一樣。屬分成合約，只是增值稅率（即分成率）全國劃一，不需要提及。土地與非土地投入的指定支持着增值税是租而不是税之見——二〇一三年增值税的擴展有沒有改變了性質我沒有跟進。

蘋果會掉到地上嗎？昔日牛頓説會，提出了解釋。這是科學。分成合約會指定雙方的投入嗎？當年我説會，提出了解釋，推斷的準確性跟牛頓推斷蘋果下跌一樣。這也是科學。科學解釋有時簡單，有時複雜，有時湛深，有時簡單卻湛深。追求真理是一種樂趣，往往帶來很大的滿足感。

結語

一九六七年寫好《佃農理論》的論文，二〇〇七年寫好《中國制度》的初稿，相隔剛好四十年。要是當年我沒有解通佃農分成之謎，四十年後我不可能解通那在人類歷史上算是特別而又重要的中國制度的經濟密碼。當年我只用一個晚上就解開了佃農分成之謎，但中國的經濟制度我要花上三年才破案。後者，不少內地朋友給我提供一手資料，我由衷感激。中國經濟奇蹟的出現，這些朋友的貢獻不可或缺。

中國的地區層層分成與縣際競爭促成土地的效率使用及協助財富累積，史無前例，發展中國家要拜中國為師。但如果土地已經是私人財產，中國的制度是不能仿傚的。中國的持久高速增長人類歷史沒有出現過。可惜北京的朋友似乎不重視這制度，沒有悉心地修改一些細節。更不幸是二〇〇八年初北京推出新《勞動合同法》，使曾經嚴厲執行該法的工業重鎮的優勢一去不返。該合同法是從西方抄回來的，而且是百鳥歸巢地抄。中國人一般聰明，該合同法他們憑自己的智商想不出來！我在《中國的經濟制度》那小書內説得清楚，因為二〇〇八年初引進新《勞動合同法》，中國的神奇改革帶來的經濟急速增長只有二十九年，不到三十。

附錄：從黃奇帆的發展思維說中國的財富累積

（按：經濟增長理論與財富累積理論是經濟學的兩個大難題。我認為二者是同一回事：後者我提出“倉庫理論”作了處理，前者我在回應復旦的張軍教授時提供了大概的可取分析。二〇一二年八月二十九日我飛重慶，黃奇帆市長給我介紹那裡的經濟發展，其後寫下本文，九月十一日發表。略作刪改後放在這裡作為附錄，因為是提供着關於經濟增長與財富累積這其實是相同的兩方面的相當完整的分析。）

黃奇帆以經濟實踐的本領知名神州，用不着我介紹了。我曾經寫過，這個人思想細緻縝密，組織力強，對數據的掌握有系統。他的經濟發展策略跟我認識的一些其他地區的幹部的構思相近，勝出的地方有三點。其一，奇帆兄的構思比較有系統，也比較清晰。其二是他做出來的有大氣。其三最重要：遇到難題他能想出解決的妙方。有人說北京對重慶格外通融，可能對，但說實話，重慶不是一個容易搞起經濟的地方。今天，大體來說，重慶的經濟是搞起來了。還未成定局，我們還要走着看。

政府策劃與市場運作可以互輔

先說一件事。有些朋友說這些日子重慶的經濟發展是向左走，要回復到漠視市場的計劃經濟那些舊日子去。這說法不對。我曾經是美國兩家高舉自由經濟的少林寺的學徒，整個二十世紀高舉自由市場的經濟大師我全都認識，對他們的思想瞭如指掌。他們不是反對政府策劃，而是反對政府干預市場，甚至政府取代市場可以做得更有效率的。

我比前輩市場大師勝出的地方，是跟蹤了中國的改革發展三十多年，即是比他們多見了一個世界。這是勝出很多。弗里德曼和我的交情如哥哥與弟弟，認為我的經濟學自成一家，永遠維護。他知道我不反對國“有”，但認為國“營”無效率；他也知道我不計較是國企還是私企，認為要點是國企的股權大部分要賣出去，好叫股民有權把股價沽得七零八落。我不反對好些項目由政府策劃甚至動工，認為某些事項政府處理可以節省交易費用，但到了某一點政府要交出去給市場。在分析縣際競爭的制度中，我指出幹部們是在做生意，很懂得哪些項目要給市場處理，而一個政府項目發展到哪一點政府要脫手他們很清楚。不要忘記，中國改革之初所有土地是國家擁有的，政府要把使用權交出去，怎可以不預先策劃呢？困難是一些龐大項目，例如興建機場、三峽工程、高速鐵路、貨幣政策、宏觀調控等，是脫離了縣際或地區競爭的範疇，需要由北京上頭主導，問題就變得複雜了。

從無到有的財富累積

回顧改革發展之初，中國有的是些什麼呢？一是土地（包括地下不足以炫耀的礦物），二是人力（包括不少大可炫耀的聰明人）。除了這些中國一窮二白——絕對是，窮得今天的年輕同學無法想像。在這樣的局限下，中國怎樣搞出今天舉世譁然的經濟奇蹟呢？重要的制度改革不論，答案是中國提供土地與勞力，引進資金與科技知識，從而搞起土地與勞力的生產力。這些生產力的上升帶來土地與勞力的價值上升，而這些價值的上升就是財富累積的上升了。

看似簡單，這發展沒有政府的主導難以成事。有三方面。其一是土地的徵用或地役權的執行需要政府出手。土地的所有權在國家手上大幅地增加了方便。如果土地的徵用要通過西方的 eminent domain 的法律程序，只徵用一小塊要三幾年，龐大的項目十多年也不一定有結果。

其二是拋磚引玉，即是以土地購買外部效應。我曾經提及美國加州南部一所大學分校，由一個私人地主免費提供龐大的上佳土地，加大分校建成後，該地主因為大學的存在，他還擁有的在鄰近的土地之價急升，發了達。這種私人從事的拋磚引玉是個別性的，很少見到。在中國的發展過程中，政府廉價或免費提供土地，希望引進外部效應的行為常見，而在過程中不少土地因為拋了出去，變作私人財產。這裡要注意。拋磚引玉不一定容易。政府廉價或免費把土地送出去，能換取可觀的增值稅收是很不錯的成績，但能否帶起其他地價則還有問號。拋出去的土地是磚頭，勞力與其他土地的升值要高於磚頭的成本才算是玉。從這些年中國發展的整體看，引來的玉相當可觀，也即是說財富的累積相當可觀了。

其三是政府可以協助減低生產的成本。這樣說，傳統的經濟分析不會同意，因為減低成本歷來是企業家的操作，政府的“干預”一般只會提升生產成本。問題是，在真實世界有不少不同企業可以共同減低成本的設施，因為企業之間的洽商（交易）費用過高而辦不到，但政府可以。

重慶電子工業發展的實例

寫到這裡我要先說黃奇帆向我詳加解釋的重慶的電子產品行業的迅速發展。選擇電子工業可不是黃市長的發明：我調查過的工業地區沒有一處的領導人不夢寐以求地希望引進這項所謂無煙工業，但談何容易哉？三年前你敢打賭這個到處皆山、霧多盛產美人、離海岸遙遠、曾經是恐龍喜歡聚居的重慶，會把電子工業搞起來嗎？三年前黃奇帆打這個賭，今天重慶的電子產品，以件數算，佔地球的五分之一。市長說再過兩年這件數產量會達地球的三分之一。

目前看，電子工業是在重慶發展起來了。我認為還要多看幾年才作得準。當然要拋磚引玉，而在磚頭中的工人宿舍、康樂設施等皆搞得有聲有色。但最重要還是政府協助減低生產與銷售成本。主要是兩點。其一是打通了古時的絲綢之路：火車開到歐洲去，由北京跟多個國家達成協議，車過之處用不着逐國清關。從中國沿海船運到歐洲三十三天，從重慶火車走新絲綢之路十四天，節省了十九天，貨物所值的利息節省市長算得詳細。其二是重慶一口氣引進了六百多家電子產品的零件製造商。魄力如斯，老人家壯年之際恐怕鬥不過。

現在讓我轉到一個非常複雜的話題：財富累積（capital accumulation）。這話題傳統經濟學的處理一律失敗。兩年前我推出的"倉庫理論"是重要的突破。我指出，如果財富累積的一般理論不包括着一些本身毫無產出收入的"倉庫"——例如收藏品——不可能找到理論上的均衡。土地與人的腦子也是財富累積的倉庫，但有產出的收入，其市值為何財富所值也為何，是由收入的預期以利率折現決定的。不是那麼容易：凡是牽涉到"預期"經濟學都頭痛。

土地價值起自何因

讓我先從土地財富那方面說重慶。重慶人口三千三百萬，土地面積是香港（包括離島）的八十倍。高低不平的山地多，但一般可以用。山地不宜用於農業或工業，但住宅用途有其優勝之處：雖然開發的費用比較高，但景觀可取，加上有兩江相接，重慶是不乏有美景的樓宇的。

先假設土地一律平坦，無限多，地點優勢一樣，全部私人擁有，隨意興建。這樣，土地因為無限多其價值是零，建築物之價只反映着建築成本。但如果地主們通過市場的指引聯手策劃，或政府策劃整體設計，原則上無限的相同土地會有價。這是因為聚居的安排可以節省多種費用。有兩點要注意。一、能達到總值最高的土地使用策劃，土地要空置着很大的一部分作為公園、畜牧等用途——土地的總值因而可能與需求彈性係數無關。二、土地的價值提升，初時會導致人力資產之價上升，但到某一點會減低人力或腦子資產的價值。社會要爭取財富累積的極大化，是要考慮所有資產的總值的。當然不容易，但在邊際上的這裡要加那裡要減，跟內地的幹部朋友傾談中感覺他們考慮到——為自己的切身利益他們需要這樣做。

如果土地高低不平，地點的比較優勢變化多，那麼李嘉圖的級差租值思維用得着。即是說，土地無限，優劣有別的分析跟土地有限的差不多，只是略為複雜。跟這裡有關的問題是：土地優劣有別，靠通過市場的處理策劃交易費用會比較高，而在經濟發展迅速的情況下，市場的處理容易出現混亂的秩序。我們可從珠三角與長三角的工業區發展作比較。前者起於上世紀八十年代初期，發展得快；後者起於九十年代初期，發展得更快。但後者因為縣際競爭制度開始形成，由地方政府策劃，遠為有秩序，效果是不僅園地遠為可觀，引來的名牌外資無數，地價也高出不少。以土地所值衡量財富累積，長三角勝。

重慶房地產的急速發展，大約起於二〇〇二年。約六年後就滿是高樓大廈。二〇〇九年我認為那裡的樓價很相宜，但今天從幾個朋友的經驗看，三年來重慶的樓價大約升了一倍。可能是比較誇張的個別例子，但打個五折也上升了百分之五十。是的，今天在重慶，一幅上佳的大地盤招標，動不動數十億人民幣。比起香港或上海等地當然不怎麼樣，但恐龍老兄地下有知應該笑出聲來。數十億可以建造六條跨江大橋，不能不說是很好用了。

重慶的地價上升是反映着財富累積的上升，無疑是拋磚引玉的結果，雖然我們無從估計上文提到的電子工業的迅速發展幫助了多少，從時間上的吻合看肯定有助。

財富聚散要慎重處理

這裡我們要關心的是老生常談的財富既可速來也可急散。房地產之價暴跌不是罕有的現象。因為借貸急升導致房地產之價急升，然後暴跌，是災難性的麻煩。這情況二十五年前在日本出現，二十五年後的今天日本也不能翻身；四年前在美國出現，到今天也不能翻身。其中道理不是淺學問，這裡不談了。我認為目前的中國不用擔心這樣的情況。

我不認為重慶的樓價會大跌，但認為這機會不是零——市場發神經非罕有，而大跌不需要發神經。黃市長顯然對樓價的變動很敏感。他滿肚數字，滿腦計謀，以自己想出來的各種數字比率衡量着樓價。然而，市場牽涉到多種不同的預期，看着各種數字比率比不看好，但因為預期的變動難以捉摸，數字的規律指引常有問號。

我自己對重慶樓價的興趣，是忽然的——忽然想到重慶的例子填補了一個我想了多年的關於財富累積的理論難題。是這樣的。十年來重慶的高樓大廈建造得多而快，而隨意的觀察，今天那裡的樓房的空置率相當高。有高的空置率，樓價下跌起來會較為大幅及較快，因為持着空置樓房的業主比沒有空置的傾向於出售，而出售空置的會較為方便。重要而又有趣的問題來了。樓房空置率上升有兩個相反的含意。其一是經濟不景，樓房空置是資產的失業。其二是經濟前景大好，市場的需求預期促成未雨綢繆，空置因而出現。後者好比上海浦東幾年前，商業樓宇的空置與樓價一起急升。是的，沒有可觀的樓房空置，雙位數字的經濟增長近於不可能，我們因而要讓樓市走快一步作供應的準備。

複雜的問題出現了。樓房不是什麼收藏品，其價要靠租金的收入或業主自用的租值。如果租金或租值永遠是零，樓價會是零。但這租金或租值是預期的，樓價於是成為市場預期的年金租值（anticipated annuity）除以市場利率。這是天才費雪提出的，用諸四海而皆準。困難是這預期不僅難以估計，且往往容易變動——可以在一夕之間變動。

把預期的複雜性提升吧。今天我購買樓房，預期空置三年，三年後才用。今天算年金收入是以三年後的預期租值算出來的（方程式本科同學應該知道）。這年金收入的折現高於樓價，我會考慮今天購買。購買了，三年過去，我的計劃有變，決定再等三年。這樣，過去三年的利息或租值的損失是歷史支出，不是成本，這三年的租值輸清光不會影響我對前景的看法，因而不會影響樓市之價。換言之，昨日之日不可留，預期只限於向前看。

但情況可以倒轉過來。今天我購入樓房，搬了進去自己用，認為年金收入的折現可取。但過了幾天我的預期改變了，認為一年後樓價會較低，我可能考慮今天先賣出去，租用其他的。

重慶的樓宇建造得快，經濟發展得快，市場的預期變動帶來的效果可以很誇張。經濟學者是沒有什麼可以教黃市長的。我只能說政府提供的訊息要中肯，大好形勢要淡然處之。這不困難。困難是市場的波動難以掌握。政府只能希望市場對樓市的預期持續地向上——不要誇張地向上，但要向上。這是因為一旦市場對樓市向下看，發展商與投資者皆會採取防守策略，多種麻煩會出現——交易費用的存在使然也。

參考文獻

A. Smith, *An Inquiry into the Nature and Causes of the Wealth of Nations*. W. Strahan and T. Cadell, 1776.

A. Marshall, *Principles of Economics*. Macmillan, 1890.

I. Fisher, *The Theory of Interest*. Macmillan, 1930.

J. L. Buck, *Chinese Farm Economy*. University of Chicago Press, 1930.

J. L. Buck, *Land Utilization in China*. University of Chicago Press, 1937.

M. Friedman and L. J. Savage, "The Utility Analysis of Choices Involving Risk," *Journal of Political Economy*, 1948.

S. N. S. Cheung, *The Theory of Share Tenancy*. University of Chicago Press, 1969.

S. N. S. Cheung, "The Structure of a Contract and the Theory of a Non-Exclusive Resource," *Journal of Law and Economics*, 1970.

S. N. S. Cheung, *Will China Go Capitalist?* Institute of Economic Affairs, 1982.

S. N. S. Cheung, *The Economic System of China*. Hong Kong: Arcadia Press, 2008; Beijing: China CITIC Press, 2009.

R. Coase and Ning Wang, *How China Became Capitalist?* Palgrave Macmillan, 2012.

張五常，《中國的前途》，香港信報出版社，1985。

張五常，《再論中國》，香港信報出版社，1987。

這裡有一個左不成右不就的選擇：市場經濟可使國家富有，但往往要考慮收入再分配；不需要考慮再分配的制度要放棄市場，但國家貧窮是後果。原則上當然應該先選富有然後再作打算，這是歷史上多數國家的選擇。然而，因為利益團體的操作與窮人的要求無盡，收入再分配要辦得妥當很困難。

第二章：收入分配與國家理論

收入或財富分配與再分配的分析可能是經濟學最大的麻煩。不止此也，分析收入分配與再分配不會讓從事者感到舒暢，而牽涉到政治更是我歷來避之惟恐不及的話題。

其實經濟學傳統的、基於市場的收入分配理論很完整，沒有多少需要改進。然而，牽涉到利益團體要把收入再分配，或因為社會認為市場主導的收入分配不合理，干預市場，分析就變得頭痛了。純靠市場主導收入分配的情況今天的社會不多見，而脫離了市場的分配理論經濟學很少涉及。

第一節：分配理論與貧富分化

傳統的收入或財富分配理論有相關的兩方面，皆基於有市場與沒有政府或利益團體的干預，都發展得好。

第一方面是基於 von Thünen 提出的邊際產量下降定律，經過馬歇爾的發揚，魯賓遜夫人與 Philip Wicksteed 等再加上變化，到最後的一般化定案是我一九六七年寫好的《佃農理論》。以邊際產量下降定律為核心的收入分配理論決定了不同生產要素的擁有者會怎樣攤分合作產出的收入。這方面我的貢獻是證實了在權利界定相同的情況下，不同的合約選擇會有大致相同的效果。

馬歇爾與費雪的重要貢獻

我認為上述的邊際產出理論（marginal productivity theory）是馬歇爾傳統的光輝，其中的理論細節與應用我分析過了。在指定的市場局限下，這理論的解釋力沒有疑問。我在《佃農理論》中以這理論解釋中國大陸上世紀三十年代的非常齊備的農業數據，以及解釋台灣第一期土地改革的非常齊備的農業數據，皆得心應手。漠視交易費用而還有那麼強的解釋力，是我當年深信經濟學可以解釋世事的主要原因。

馬歇爾傳統的邊際產出理論沒有算進時間的代價。算進時間之價不能不引進費雪上世紀三十年代的重要貢獻。這是傳統的收入分配的第二方面，而費雪的天賦不亞於馬歇爾。這方面費氏的偉大貢獻是利息理論，我也曾經詳作解釋，這裡不再說。要說的是費氏把利息作為提前消費之價，也是投資在邊際要有的回報，與收入掛上了鈎，而年金收入以利率折現就求得財富。同樣要基於有市場，也漠視交易費用，如此一來，人與人之間的收入分配與財富分配可以畫上等號。換言之，馬歇爾的邊際產出理論與費雪的利息理論是雙管齊下地解釋了人與人之間的收入分配與財富分配，皆天才之筆，作為後學我們感激。

先天不公後天不幸皆非貧富分化之源

這就帶到本節要討論的“收入不均”與“貧富分化”。這二者只是程度上的分別，但武斷上我的直覺是收入不均社會可以接受，但貧富兩極分化卻是大麻煩。歷史的經驗說，貧富分化輕則惹來利益團體叢生，繼而遊行動亂，而嚴重是流血革命了。一個以市場主導資源使用的經濟會出現貧富分化這個不幸的情況嗎？

上蒼造人不公平是沒有疑問的。撇開因為天生有缺陷而不能自食其力的不幸一小撮不論，人的相貌有美醜之分，智商有高下之別，體力有強弱之異。收入不均容易明白，但在市場經濟下，馬歇爾及費雪的傳統理論推不出貧富分化的效果。這是因為市場有無數不同類別的工作，參與者可以各適其適。我們知道的事實是，當一個市場經濟搞出了看頭，弱勢的一群的勞力收入上升，其百分率升得特別快。弱者的收入當然比不過強者，但低下的工作總要有人做。天生條件相若，掃街的清潔工人的工資收入比結上領帶坐在寫字樓的文員為高是司空見慣的現象。

天生條件之外，人的際遇不同，運情有別，這些會影響收入或財富分配嗎？當然會，但也不會導致社會不可以接受的貧富分化。如果社會只有三幾個人，幸與不幸的因素有機會導致貧富兩極分化，但如果社會人多，或然率不會支持運情導致貧富分化的情況。同學們如果設計自己的擲毫遊戲，會知道只要有幾百個人存在，擲毫要擲出貧富分化是難於登天的。不是説幸與不幸的或然率不會使極端的不幸者餓死街頭，而是説社會不可以接受的貧富分化不會因為人與人之間的運情有別而出現。

問題於是變為：馬歇爾和費雪的上佳收入分配理論是明顯地否決了市場會導致貧富兩極分化，但事實是，稱得上是走市場經濟的國家，貧富分化的現象並不罕見——怎麼可能呢？昔日國民黨在大陸的日子大家不堪回首，但今天的墨西哥、印度、菲律賓及其他不少發展中國家，貧富分化的情況明顯，推出福利援助，騷動還是常有，而治安出現了大問題經濟是很難發展起來的。

利率差距的效果

為什麼市場經濟可以出現貧富分化的情況呢？我認為有四個原因。其一，因為有交易費用的存在，富人借錢的利息率一般比窮人借錢的利息率為低。相差幾個百分點常見，而如果窮人要借高利貸，其差距就變得驚人了。窮人難借錢，是因為訊息與監管還錢的費用存在。非法的行為姑且不論，富人借錢遠比老百姓借錢的利率為低會增加了貧富分化的機會。

姑勿論富人把借來的錢轉借出去可以賺利率的差距，同樣的投資回報借來的利率較低可賺較多的錢。另一方面，也因為交易費用的存在，富有的人可以借較多的錢，他們因而有變化較多的投資選擇。我們不能說富人投資一定賺錢，也不能說富人的投資眼光一定比不富有的高明，但前者因為利率較低擴大了投資的選擇範圍，消息也因而比較靈通了。最重要是富人因為利率較低會多持有勞力之外的其他資產，這些資產升值帶來的收入上升是資產持有者的勞力之外的收入。

這裡同學們要注意，非勞力的資產的價值上升好一部分是源自勞力的貢獻。昔日馬克思提出什麼剩餘價值是解錯了畫，但他大發牢騷不是毫無道理的。同學也要注意，倒轉過來，經濟上升時勞力的工資升得急，好一部分是源自非勞力資產的貢獻。在相對上富人有優勢，主要是因為他們借錢的利率較低，容許他們多持有非勞力的資產。

上述解釋了為什麼在一個市場經濟上升時，富人的財富增加的百分率會比不富有的為高。當然，不富的收入或財富也會有所改進，但主要靠自己的勞力其增長幅度比不上富有的。結果是在經濟增長中貧富的差距會擴大。事實上，大家有相同百分率的上升，貧富的差距也會擴大。這裡提出的因為交易費用的存在而促成的利率差距，會相當大幅地增加了富人財富上升的優勢。另一方面，即使一個市場經濟走下坡，只要通縮不出現（下文解釋），富人的相對優勢不會下降。事實上，二〇〇八年美國出現金融風暴之後幾年，沒有通縮，美國的大富人家的財富是上升了。這應該是源於他們的選擇範圍較大。

通脹富人損害較少

第二個促成貧富分化的原因，是通貨膨脹。雖然通脹不會對富人有着數，但他們持着的資產多，通脹會使這些資產在幣值上升值，保護着他們的資產實值。不富的人持有的資產少，通脹切進他們的工資的實質收入，調校提升一般要比資產的幣值提升緩慢的。這會增加貧富分化的機會。通縮呢？富人受到的損害會比不富的為大。然而，回顧歷史，二戰之後有通脹的日子遠比有通縮的為多。這可能是因為低的通脹率對經濟的運作有利，更可能是因為通脹是一種間接稅，對喜歡花錢的政府有利。

貪污普及加重分化

第三個增加貧富分化的原因，是政府腐敗貪污。撇開那些低級公務員或警察的非法行為，有規模的貪污“投資”的回報率一定高。這是因為賄賂是非法行為，回報率較高是競爭原則使然。另一方面，因為多人組合投資於賄賂的交易費用高，基本上我們沒有見過窮人參與有規模的賄賂。

這裡要注意，貪污也要受到市場的競爭約束，所以我們不能說賄賂的實際回報率一定高於正規市場的投資。然而，賄賂的預期回報率要高達足以彌補坐牢的代價算進預期的或然率。這樣一來，不管是否東窗事發，有沒有人坐牢甚或槍斃，可觀的財富是通過貪污而轉到較為富有的賄賂者或他們的親屬那邊去了。今天地球上的發展中國家，凡是貧富分化明顯的，用不着考查我們可以打賭貪污的行為一定嚴重。

子女進名校窮人免問

第四個促成貧富分化的原因，是讀書求學的問題。文盲不容易謀求生計。儘管在一個市場經濟上升時，粗下工作的工資上升得快，但如果社會文盲太多，粗下工作的收入難以糊口。記載說，昔日國民黨在大陸時，上海拉黃包車的從事這苦工後，預期的壽命只有五年。

回顧歷史，在中國昔日的學而優則仕的傳統下，文盲無數，而書讀得比較好的都做官去了。這是昔日科學不能在中國發展起來的主要原因。今天中國的教育比昔日遠為普及，大幅地協助了經濟發展，雖然我認為這教育制度——尤其是大學的——近於一團糟，不儘早大事改進後患無窮也。教育要普及今天所有發展中國家都重視，顯示着他們知道文盲多會帶來貧富分化。另一方面，雖然我們常常聽到富家子弟讀書不成氣候，但一般而言，有錢人的子女的求學際遇遠勝窮人，是事實。

回頭再說要點

讓我回頭簡說本節的要點。在一個稱得上是以市場為主的經濟下，政府少干預，馬歇爾的邊際產出理論與費雪的利息理論，解釋收入或財富分配，皆上乘的天才之筆。這些理論可以容易地解釋收入或財富不均的情況。然而，除了一小撮天生有缺陷的不幸的人，這些理論不能解釋貧富兩極分化的不幸。人與人之間的先天條件有別，或者後天的運情不同，馬氏與費氏的理論皆不容許貧富分化的出現。

然而，我們知道，在市場經濟中，貧富兩極分化而導致社會不穩定的情況不罕見。我提出四個“分化”的理由，不排除往往是幾個的組合：一、因為交易費用的存在，富有的人借錢的利息率往往遠比不富有的為低，容許他們多持有非勞力的資產；二、通貨膨脹，多持有資產的人容易受到資產升價的保護；三、政府貪污腐敗，錢多才能賄賂，雖然高的回報率減除可能槍斃的成本後不是那麼高，但財富還是轉移到錢多的人那邊去；四、求學與知識重要，儘管不少政府資助普及教育，什麼國際名校沒有錢是難以問津的。

市場的運作無疑是經濟增長的主要原因。可惜真實世界的市場從來不是那麼完美。可能出現而又往往出現的貧富分化是其中的主要不足處。大麻煩的出現，主要是源於社會或政府要把收入或財富再分配。今天的社會，這再分配的需要惹來利益團體無數，經濟分析就變得縛手縛腳了。

地小人多處理困難

一個地大人少的國家，天然資源豐富的，有條件抽高累進稅率然後大搞社會福利。這些國家的國民收入數字可觀，可惜往往是因為政府花的錢算進了國民收入，人民的實質生活當然可以，但遠不及統計數字表達着的那麼高。地少人多、資源乏善足陳的國家，則沒有條件學人家搞高稅高福利。開放改革前的中國是索性廢除市場。廢除市場而推出另一些不是基於私產的制度，二十世紀有多個國家嘗試，不是中國獨有。不幸的效果一律明顯，想來人類不會再嘗試吧。不靠市場產出的小餅切開攤分後小得不能再切；靠市場產出的大餅切開後還可以再切，但如此一來市場也被切得支離破碎了。

我認為在原則上，要把收入再分配、協助窮人最合乎經濟原則的方法，是鼓勵自願的慈善捐助。這方面的困難，是樂於捐助的人不容易把錢交到真正需要協助的人的手上。經過多年的觀察，我認為扶貧的困難不在於找不到樂善好施的人，而是為善者捐不出他們希望的效果。混水摸魚的人是太多了。我絕對相信世界上最大慈善家蓋茨的善意，但幾年前讀到他評論捐錢的經驗，效果與意圖的分離令人歎息。

結語

貧富兩極分化是嚴重問題，推到盡頭可以毀滅人類。二戰後國民黨在大陸弄出來的貧富分化當然嚴重：富家子弟的恃勢凌人與拉黃包車的只有五年壽命的比對多麼可怕。毛澤東當年的革命因而有民眾的支持，可惜後來引進的大躍進與人民公社卻帶來了大災難。私產與市場帶來國富歷史的經驗説傳統的經濟學分析對，但私產與市場可以導致貧富分化卻是事實。

上文我肯定地指出，傳統的收入分配理論不容許貧富分化的出現——或然率否決這個不幸的情況。然而，我也指出，引進交易或訊息費用，貧富分化的出現就變得容易了。主要源於兩方面。其一是富有的人借錢的利息率遠比不富有的為低，其二是富有的人在投資訊息上——例如內幕消息——知得遠比不富有的為多。

歷史的經驗説，政府大抽富有的人的税，希望劫富濟貧，皆事與願違，得不到意圖的後果。另一方面，雖然富有的人捐助的行為常有，但資料顯示通過中間人很難見到讓捐者高興的效果。

還有另一個問題，富人鄙視窮人常見。富家子弟，讀書不成的那一類，社會只要有一小撮就麻煩了。都是交易或訊息費用惹來的禍。先敬羅衣後敬人，我們的社會就是重視身穿名牌，或珠光寶氣，或排場了得。在社會的交際中，學問一般沒有受到尊重。其實一篇足以傳世的文章，作者可能認為比家財億萬還要寶貴，但今天的社會，尤其是中國的，不會這樣看。他們重視名片上印着的名頭，往往魚目混珠，皆訊息費用所作之怪。

基於上述，我認為一個國家要減少對窮人的歧視，教育最重要。尤其是孩子們的教育，應該仿傚當年母親教我那樣，多對他們説窮人的偉大故事。地球的經驗説，一個崇尚學問的社會，歧視窮人不嚴重。

第二節：市場與非市場的等級排列

人類的權利可分兩種：其一是產權，其二是人權。這二者有時會混淆；二者之間有灰色地帶。產權是指擁有及享受資產或資產帶來的收入的權利，這當然包括人力資產了。在多人的社會中，有了資產權利界定的競爭帶來市場。在先天與後天的局限約束下，每個社會成員的資產所值（包括自己的勞力資產）主要由市場決定。不是全部由市場決定的，但主要是，所以我稱資產的貧富高下為“市場的等級排列”。這也就是上節我分析收入分配與貧富分化等的排列了。

人權呢？因為沒有牽涉到實物，其看法比較麻煩。從一個層面看，人權是不侵犯他人產權的所有其他權利：例如信仰、思想，以及在有產權界定之下的選擇權利等。言論自由算是人權嗎？通常是，但如果牽涉到誹謗，可以看為損害了他人的產權，人權的使用是過了界。另一個看法是：產權一定是有限、稀缺的，不能免費地滿足人類的需求。人權則屬無限：你有你的信仰，我有我的信仰，互不侵犯，因而大可自由、平等。可惜下文可見，真實世界不是那麼簡單。

從中國舊家庭說起

在產權與人權之間，灰色地帶可以廣闊，武斷的處理往往需要。好比在中國舊禮教的家庭中，兒子享受物質的權利比女兒的為高。風俗、禮教使然，這等級排列是確定了的。然而，在一般的情況下，父母還在，還沒有分身家，我們看不到子女之間有資產的權利界定：資產的轉讓權還是在作為一家之主的老父手上。

上述的子女排列權利算是人權還是產權呢？可以爭議。我選擇以人權排列看。這是因為子女還沒有出生，權利的位置已經決定了，物質的享用是多是少是按着人的"位置"分配，而這"位置"的權利是不能由位置的擁有者轉讓或出售的。我稱以人權排列為"非市場的等級排列"。

重要的權利定律

這就帶到一個核心問題。上節提到上蒼造人是不公平的：先天的基因條件不同，後天的際遇運情有別。每個人爭取自己的利益極大化，先天與後天的局限彼此不同，收入當然會跟着不同了。市場的運作對經濟增長有大助沒有疑問，所以盤古初開市場就出現了。然而，上節指出，個人先天與後天的局限不論，市場的存在有機會增加收入不均甚或導致貧富分化的情況。

我在這裡提出的產權與人權之別，是為了要指出一個明顯但重要的定律：因為先天與後天的局限不同，人與人之間的權利不可能平等：如果我們要產權平等，人權的不平等一定要增加；如果我們要人權平等，產權的不平等一定要增加。這看法重要，我稱之為權利定律。在我見過或知道的社會中，人與人之間的產權與人權皆不平等，只是這二者在程度上，不同的社會會有很大的差別。經濟學可以解釋為什麼這些差別存在，也可以解釋這些差距如何人民的生活會如何，但至於孰優孰劣則是價值觀的判斷，不是經濟科學可以提供答案的。

中國的經驗有以教我

一九七九年的秋天我到離別了二十多年的廣州一行，見到幹部朋友的等級排列使我震撼。不同行業——例如行政、衛技等——每行約有十個級別，而不同行業的不同級別是有着不同的物質享受，由國家指定分配。我於是想到那是源於毛澤東主張廢除私產——所謂無產制——或起碼要讓人與人之間的產權大致平等，幹部之間就出現了以等級排列權利的安排。當時我想，極端地看，如果社會每個成員皆"無產"，他們的產權當然是平均的，但為了生存幹部的非市場的等級排列權利是一定需要的了。理由是：廢除私產，由政府分配，如果沒有以"人"作為等級排列的界定安排，在競爭下租值消散一定非常嚴重，足以導致國家滅亡。我於是想到，中國改革的關鍵，是要從以人作等級排列權利的制度轉到以資產排列權利那邊去。

我要到兩年後才把昔日中國的幹部等級排列作為人權或非市場的等級排列看。至於當年我不斷地介紹科斯的資產要有權利界定之說，是因為北京的朋友一律反對私有產權，推出"權利界定"是把"私產"換了一個可以賣得出去的包裝。當一九八四年我意識到中國的幹部等級制度明顯地開始瓦解——在南中國合同工開始替代國家職工——我為文說中國不會走回頭路，例行地給行內的朋友罵個半死。

公司排列源於合約替代

今天中國的地方幹部還有等級排列，但不是昔日的因為沒有產權而以人權排列那種，而是近於大家知道的商業機構排列管理階層。這就帶到科斯一九三七年的貢獻。該年科斯發表《公司的性質》，提出了一個重要問題，我翻過來是："一個人可以在街頭賣花生，自己做老闆，由花生的市價指導着他的資源使用。為什麼這個人決定不做老闆，參與一家公司組織，受薪，但要接受上司指導工作，彷彿是奴隸似的呢？" 科斯提出的答案，是參與公司跟他人合作生產大家有利可圖，但每個參與者的個別貢獻可沒有市價的指引，於是要由上司指導，彷彿作奴隸去也。科斯之見於是成為：因為交易費用存在，個別員工的貢獻不知價，公司於是出現，替代市場，員工獲工資，但要接受上司的指導。

受到科斯的影響，威廉姆森一九七五年出版《市場與等級》(*Markets and Hierarchies*)。那是一本大名的書，可惜術語多，內容少，只是在說故事，無從觀察，因而無從驗證，而且我們看不到作者對經濟理論與概念有足夠的掌握，整本書的解釋力是零。威廉姆森之見，是不僅公司替代市場，而且等級排列替代市場。

發展科斯的思想的人往往把他的論點看歪了！當年讀科斯我可看不到皇帝的新衣：說公司替代市場言不成理！在私營或上市的公司或企業中，管理階層與其他員工無疑有等級排列，正如在市場經濟中人與人之間的收入或財富皆由市場決定而排列。然而，管理階層的薪酬與員工的工資一律是市場之價：公司是通過市場購買他們的管理或工作貢獻作分配，不是按他們的產品的出售之價作分配。但他們的薪酬與位置絕對是由市場排列的。如果公司之內所有成員的貢獻皆以件工合約處理，那就是我們日常見到的產品市場了。換言之，正確的看法是：公司或企業的出現是源於以一些合約替代了另一些合約，不是公司替代市場，為何如此我曾經作過詳盡的解釋。

非私企人權排列容易出現

有些企業或機構的聘用合約可不是全由市場決定薪酬的，所以免不了有點以人權排列權利的味道。好比一九八二年我受聘於香港大學，那不是一家私營或上市機構。受聘時的薪酬與我在美國的相若，算是市價。當時我對聘請我的校長言明："我是從事研究及教育的，管理或行政我毫無興趣，我要一律不管。"校長回應："沒有多少行政工作的，這些你可以全部委託同事與院長處理。講座教授之位只一個，其他的薪酬你不會接受。"我想他說的有道理。

殊不知過了幾年換了校長，喜歡以"民主"管治，而香港政府也來了諸多干預，需要開會的時間急升——據說港大因為行政要用的紙張數量上升了幾倍。我怎麼辦呢？單是分派工作給同事就手忙腳亂，而自己的薪酬卻與政府官員的某級別掛鈎上升。一時間我的權力變得明顯，使我感到我與同事之間是有了人權的差距。可能有些人喜歡這樣的安排，但我不愉快，因為認為自己的競爭優勢只限於研究、創作與教育。

工會與歧視的看法

市場的產權排列權利與非市場的人權排列權利好些時不容易分開：利益團體往往兩樣都要！好比在不少先進之邦的工會，爭取到如下的權利：不是工會會員不能參與某些指定的工作。如此一來，不管工資有沒有規定，在壓制競爭下工會會員的工資是提升了。當然，工會的藉口是保障工作的質量，或防止惡性競爭對社會的禍害。但工資因而提升是事實，組織工會的頭頭有利可圖也是事實——至於交了會員費之後會員的工資是否真的提升了則有問號。不管怎樣，從本節的觀點看，工會會員的資格與非會員的分別是人權的排列。

工會約束之外，牌照的約束也屬產權與人權的混合安排。在美國，醫師與藥劑師要有牌照才能執業，其維護病人的理由在表面上是勝於工會維護質量的——搞出人命非小事也。但我們可以怎樣解釋美國的頂級名醫不能在香港掛牌行醫呢？我們可以怎樣解釋美國某州的藥劑師要轉到另一州工作，再考牌來自另一州的格外困難呢？我於是認為以牌照約束工作有以人權排列權利的味道。這類約束在人類歷史上由來已久：密爾一八四八年就提出了"不競爭團體"(non-competing group)，其性質跟這裡談的爭取"人權"組別有雷同之處。

工會與牌照等約束競爭之外，種族歧視或歧視窮人也是以壓制某些人的人權的社會運作，從而增加某些人的人權利益。人類分組地歧視可以非常頑固，歷久不散。美國的偉大總統林肯一八六三年解放黑奴，而美國多屆的政權皆出盡九牛二虎之力，希望剷除種族歧視，但那麼多年過去這歧視還在。

種族之外，歐洲的傳統有貴族與平民之分，今天應該有了改變，但口音的不同是歧視弱族的鑑別方法。據說日本在傳統上講話的措詞可以鑑別一個人的社會層面，層面低社會待遇較差也是因為歧視而導致人權與收入不等的效果。

先敬羅衣後敬人不是神州獨有，但中國少有種族歧視，總要找一些歧視他人的法門，希望從而增加自己的收入。說不得笑：我們很少見到一個民族會像炎黃子孫那樣，喜歡把名片印得密密麻麻。我認為這也是為了爭取多一點人的權利。先敬羅衣看來是一個社會定律。朋友說，在歐洲，昔日被老外嗤之以鼻的中國表叔們，今天拿着鈔票擲出去，遇到的待遇與普通話的回應，皆屬上賓之禮。某程度人權與金錢掛鈎，自古皆然也。

獨立宣言與權利法案

最後讓我略談美國的憲法——只能略談，因為那是非常深奧的學問，我不懂。但不能不說，因為其中有兩點跟本章分析的收入分配有重要的關連。第一個要點是起自一七七六年美國的《獨立宣言》。該國的憲法制定於一七八七。第二個跟這裡有關的重點是一七八九年加進憲法的《權利法案》(The Bill of Rights)的第五條的最後一句。是的，《獨立宣言》之後有百多年的日子，美國的發展是人類的光輝。

《獨立宣言》第二段的第一句擲地有聲，非常重要。是這樣寫的：

> 我們執着於如下真理是不言自明的，即是人被創造出來是平等的，上蒼賜予他們一些不可分離的權利，這些權利包括生命，自由，與追求幸福……

我認為這句話是今天大家說的"普世價值"的中流砥柱。同學要注意，《宣言》提到的平等不是產權平等，而是人權平等。原則上人權是可以平等的，雖然我在上文指出不容易做到——很不容易。原則上，人權平等的一個要點當然是一人一票的投票制度了。這是不少後人認為是民主的精神所在，雖然有不少學者認為給民主下一個定義很困難——反對以投票定民主的學者多得很。

這就帶到《權利法案》第五條最後一個分號之後，說："私人財產(private property)，沒有公正的補償，不能被取去作為公用。"這句話，不少經濟學者認為是美國興盛繁榮的主要原因。今天這第五條還在，但闡釋顯然是改變了。記載說，美國立憲後一百五十年，高等法院的闡釋穩定不變，但跟着的闡釋屢有變動。至於這重要的第五條的闡釋怎樣改，改了多少次，是在我的學問之外了。

投票惹來利益團體活動是定律

一九七五年，美國西雅圖市考慮推出租金管制，舉行聽證會，我被邀請作為專家作供。我說租金管制是明顯地違反《權利法案》的第五條，因為壓制房產的租金收入與奪取業主的財產基本上沒有分別。當然我也引經據典，提供我研究過的幾項租金管制帶來的效果，跟奪取私人財產沒有分別。(早一年我發表《價格管制理論》，證實價管會帶來非私產的效果。) 後來聽證會的主事人說我講得很有說服力，西雅圖不考慮租金管制。然而，過了不久，加州某市卻投票通過了租金管制的法例。

過了約半年，加拿大某省要求我作專家寫報告，因為他們正在考慮租金管制。說明寫報告的時間酬金可觀。我花了個多星期把報告寫得詳盡，指出租金管制會帶來多種麻煩。殊不知他們希望我支持管制，不能用我的報告，不付酬金！他們不可能不先知我的立場，為什麼要找我呢？過了兩年，該省的租管弄得一團糟，另一組人問我如何拆解，我沒有回應。

原來加拿大維護私人財產的法律跟美國的沒有兩樣，只是一小撮人從政府拿得一筆可觀的“研究”金，有利益團體的支持，拿着研究金的有錢可分，利益團體有利可圖，租金管制就成事了。從嚴謹的經濟學角度看，租金管制、價格管制、工資管制，等等，皆違反維護私人財產的原則，也即是違反《權利法案》的第五條。這裡我不管私人財產應不應該維護，但這邊廂說維護那邊廂卻不維護經濟的發展會有大麻煩。

儘管本節提出在好些情況下，人權平等不容易甚至近於不可能做到，我們不能否認一人一票的民主政制是朝着人權平等的方向走。這裡的要點是一個國家的憲法或其他國家性的法律制度，需要明確地界定什麼可以投票什麼不可以投票。這一點，高明如美國的憲法也辦不到。以投票更改權利會惹來利益團體混水摸魚的行為。這也是定律，可惜把“民主”污染了。利益團體之外，肯定的得益者是律師與靈魂可以出售的經濟學家。

這裡我也不管財富或收入應不應該再分配，但如要再分不應該沒有原則！通過投票再分配，沒有清晰的原則，利益團體的活動會容易產生效與願違的情況，而社會的制度費用會急升是無可避免的了。

在本章起筆時我說過：分析收入分配與再分配不會讓從事者感到舒暢。牽涉到市場與非市場排列等級的混淆，人類自私的負面本質都浮現出來了。除了遇到令自己着迷的女人，我從來沒有說過世界是美好的。

第三節：中國舊家庭的禮教與國家的盛衰

一九七一年我寫了一篇關於中國的、題為《子女產權的監管與婚姻合約》的文稿，寄給多位朋友看，其中哈里•約翰遜回信，勸我不要發表，因為貶低了中國人。科斯也有微辭。其他朋友認為應該發表。哈里之見是他的價值觀，我明白。進入了二十世紀後期，中國人對自己昔日禮教中的三從四德有反感。同一民族，時代不同其價值觀會變。今天我們有反感的，我母親那一代認為是天經地義的事。

我把《婚姻》寄到英國的《經濟學報》。那是我唯一的經過正規評審才發表的文章。編輯回信，要刊登，但認為文章太長，篇幅有限，由我選擇減少五分之一的文字。怎麼減呢？我簡單地把最後一節刪除。文章發表後，塔洛克來信譴責，說他和布坎南皆認為我刪去了最重要的部分。後來我遍尋也找不到該節的文稿，耿耿於懷久之。該文發表於四十五年前，近幾年注意該文的學者是增加了。

以人權排列的中國舊家庭傳統

中國的舊禮教婚姻與子女教育是社會學的話題，我是門外漢。寫該文我的資料來源有三。其一，最重要的，是自己母親的多次口述。她在年幼時纏過幾天足，嫁給我的父親是盲婚的，迷信，是個十足十的中國舊禮教培養出來的女人。沒有讀過書，但過耳不忘。男女不論，母親是我遇到過的最聰明的人。第二項資料是陳顧遠一九三六年在上海出版的《中國婚姻史》。最後一項資料是西方的英語論著。上述三項雖然重點的處理不同，但內容大致沒有出入，而其中最細緻、精彩的描述是我自己母親的口述了。

大略地說，中國的舊家庭以最年長的父親——或父母——作為一家之主。在子女承繼或分身家之前家庭的主要資產全部在這長者的手上。這裡的重點是子女也屬長者的資產：父親殺子女不是罪。家庭屬下成員的收入或消費享受由長者分配，但要受到倫理與禮教的約束：長子的權利比次子的大，兒子的權利比女兒的大，正妻比妾侍的大，如此類推，叔伯姑表皆有名分，大致上家庭或家族的成員的輩分與權利皆有定位。一個成員因而可以有多達八個稱呼。這些不同的位置與權利不是絕對不可更改的，但大致上禮教、風俗是如此這般地排列了。基本上是人權的排列，即是非市場的等級排列。久不久或有更改，而久不久要明確地表達一下。於是，過年過節，拜祖先分豬肉，每個家族成員所站立的位置不可以亂來。喜慶喪禮等事宜，出場或排列的先後有規矩。就是簡單地吃一頓飯，成員坐的位置有規定，菜餚佳劣的擺布有法則，誰先起筷有禮儀。

舊禮教風俗有可取處

這裡讓我們停下來，想想中國的舊家庭發生着的是些什麼事。同學們可從本卷讀到的關於公司性質、權利結構那些方面想。中國的舊家庭顯然是一家公司組織，由禮教約束着成員的組合，合作產出，以農作物及手工藝產品應市及自用。血濃於水，可能為了確保治安及預防戰亂的干擾，但更重要是有着禮教與文化傳統的協助，他們的選擇是不分家。只要有好一部分的家庭的成員組合不分，其他的會依着這禮教的組合模式走。"無家可歸"在昔日的中國有着不幸的意思。

子女是父母的資產這個傳統顯然起自春秋戰國之前，雖然孔、孟的儒家學説與禮教是有力地維護着家庭組合不分的頑固存在。我不認為孟子的智商怎麼樣，但非常佩服孔子。二千五百年前中國還沒有發明紙張，怎會出現像孔子那麼偉大的思想家是個謎，是誰教出孔子更是一個謎。夫子邏輯歸邏輯，倫理歸倫理，思想清晰，比時間上略後於他的希臘的柏拉圖與亞里士多德強得多了。

儘管我們今天認為什麼三從四德有點那個，但不能否認儒家教的孝順、恭敬、禮儀等有其可取之處，而至於求學與為人之道，我們今天恐怕還要多學古人。子女是父母的財產，父母當然要投資於子女的教養。上文提到的家族成員的等級是人權排列，有點奴隸的味道；不同的是，父母子女之間有愛，而子女有遺產的承繼權利。

今天不易接受的風俗

當然也有我們今天不容易接受的風俗或行為。盲婚：為了維護父母的投資，子女無權選擇婚姻配偶，通常婚前沒有見過對方的面。女子嫁出去就成為男家的人，所以男家付給女家的聘禮一般高於女方帶到男方的嫁妝。這跟西方的傳統是兩回事。婚姻合約全由雙方的家長主理，結婚的子女無權過問。像今天買賣房子那樣，有作為經紀的媒人。

纏足：為了維護父母的投資，好些女孩五歲開始纏足。我不同意傳統説的，纏足是為了增加女性的美。我認為是為了防止嫁了出去的逃走。男的農作，女的家務或紡織，走動不靈活無大礙。有纏足的女子嫁出去時可獲較高的聘禮。

童養媳：女孩或會在孩童時賣出去作購買之家的將來媳婦，價格比聘禮相宜，而從小由男家教養長大後會較為服從了。

殺嬰：在艱苦或饑荒時期殺嬰的行為常有。據一項統計殺女嬰遠比殺男嬰為多。可能是一個“善”舉：母親曾經對我説，二戰逃難到廣西時，帶着七個子女，其中三個只幾歲的，她只有能力養一個，於是讓我背着三歲大的妹妹到田野中覓食。(今天我的妹妹還活着，而當時在田野的觀察使我二十多年後寫《佃農理論》的第八章時，思路縱橫，給老師阿爾欽大讚一番。)

非市場排列大有可為

這就帶到本節要分析的另一個重點話題。中國舊家庭成員的權利等級排列是非市場的人權排列，為什麼經濟運作的表現會高出中國開放改革前的幹部人權排列那麼多呢？事實上，人類歷史五千年，其中四千八百年中國富甲天下！寫此節時我手上持着三卷殘破不堪的、一七九七年在英國初版的《英使謁見乾隆紀實》。是英文原著，從拍賣行拍回來。英使 Lord

Macartney謁見乾隆皇帝是一個重要的歷史典故。該高職使者拜訪乾隆是要求中國開放貿易，也希望能在中國設立使館。乾隆反對，說中國什麼都有，沒有興趣跟外間的蠻族建立邦交。這就惹來英商大舉把鴉片輸進中國，跟着的不幸發展過後再說。

沒有市場工資的神奇效果

英國使者中國行的觀察證實着到了十八世紀的最後日子，中國的經濟還是雄視天下。在中國舊家庭的非市場的以人權排列權利的情況下，經濟怎可以搞得那樣出色呢？

我要先指出兩點。其一，跟中國改革前的幹部排列不同，中國舊家庭的資產屬長者所有，界定明確，而承繼的權利大致上也有界定。其二，雖然在一家或一個家族之內以人權排列，但一家之外或家與家之間有市場。北宋張擇端畫《清明上河圖》，其中描述的繁華市場景況不是胡亂想出來的。

這裡我要說的重點是：只要資產的權利有了界定，家庭之外有產品市場，家庭之內的人權等級排列夠清晰，個別成員的產出市值不需要知道，也不需要市場工資的指引。換言之，如果我的家要產出供應外間的市場，只要子女聽我的指揮，而我知道子或女作甲項目需要放棄的乙是代價，也即是知道每項目的代價成本，我可以容易地按着子女的代價成本作監管，按着產品的家庭之外的市價指導，完全不需要知道子女的個別貢獻在市場值多少錢，也不需要顧及個別子女的邊際產值是否等於市場的工資。

上述的闡釋是說，如果我們把一家或一戶作為一個生產單位看，不管其中的成員多少，也不管他們的非市場等級怎樣排列，只要引進市場有不同產品的選擇，產品有市價，中國舊家庭的產出安排會使該戶的市場邊際產值等於該戶的市場邊際成本，從而遵守着邊際產量下降定律帶來的變化，把經濟學傳統的邊際產出理論救了一救。可謂神奇矣！

既然神奇，當然重要。讓我再說吧。傳統的分析是生產要素有市價，即勞力有工資。爭取利益極大化，均衡點是生產要素的市價（或工資）要等於該要素的邊際產值，從而推到產品的邊際成本等於產品市價的均衡。我在這裡的貢獻，是指出只要資產的權利有界定，家庭或一個生產組織的成員的非市場等級排列也有了界定，這組織的主事人不需要知道生產要素的市價或成員的工資。他只要按着不同產品的市價的指引與成員操作的代價，就可以同樣地達到產品的邊際成本等於產品市價的均衡。至於成員的休閑時間則跟風俗習慣走——我們今天的休閑也如是。

上節我們指出，源於科斯的公司性質，威廉姆森的等級排列是市場排列，從經理而下的等級薪酬皆市價，所以說公司或等級替代市場是錯的。本節分析的中國舊家庭的成員排列是非市場排列，但卻跟市場排列有相同的效果，所以神奇。這跟中國開放改革前的幹部等級排列有兩處重要的不同。其一是幹部排列的上頭沒有明確的資產界定，其二是當時中國的產品沒有真正的市場之價。

家庭成員不能退出的因與果

我們不需要想像《紅樓夢》那種富有的大家族來體會中國舊家庭的等級排列。年幼時我見到的很多不富有的家庭也有類似的情況，更不懷疑母親對她那代的描述是實情。非市場的人權排列可以有市場排列權利的效果，但資產要界定為誰屬，產品要有市場。

上述的中國舊家庭的安排有其他三個今天的市場經濟不會見到的效果。其一，家庭之內的成員不容易退出或離家自立門戶。這是因為每個成員的收入分配已經由家內的排列決定了，承繼產業也有了名分，退出家庭的選擇因而受到約束。這可不是說舊家庭沒有僱用外人的安排。出外打工的常有，但他們還有家可歸。事實上，昔日中國的大地主往往把土地租出去，而繁忙季節出外打散工的也常有，雖然上世紀三十年代的資料顯示，打散工的為數最少。其二，上述的舊家庭的安排沒有失業這回事。其三，沒有多少空間讓利益團體混水摸魚，所以沒有最低工資那種玩意。

禮教減低制度費用但有代價

友人福格爾及巴澤爾曾經為文指出，奴隸制度不會導致無效率的經濟運作（福兄為此獲諾獎）。這就帶到我要說的中國的舊家庭制度可以帶來經濟繁榮的第二個原因。中國舊家庭的等級排列算不上是奴隸。子女有父母與親屬的愛及承繼遺產的權利之外，中國的根深蒂固的禮教傳統重要。我認為這傳統是中國在家庭之內或朋友之間沒有像西方那樣喜歡斤斤計較金錢的原因。就是在富家子弟爭家產偶有所聞的今天，中國人很少像西方那樣：朋友到餐館進膳要各自付賬；子女讀書要向父母借錢。引用到昔日舊家庭之內的產出應市運作，不斤斤計較是遠為容易處理的。換言之，中國的禮教有協助減少交易與監管費用之效。

在家庭之外，以倫理治國可以大幅地減少制度費用。今天西方的或引進西方的司法制度，律師及法庭費用往往是天文數字，遠高於昔日中國的包公審案。另一方面，中國昔日以倫理、風俗治國有兩個大弱點。其一是不容易更改：世情有變但倫理、風俗不變可以是大麻煩。其二是學而優則仕，像蘇東坡或走蘇子路線的有識之士都做官、判案去了。沒有一個不懂得詩、詞、書、畫，但走科學路線的稀有。中國進入工業時代因而要付出很大的代價。

公行成立與鴉片戰爭

十九世紀中國開始衰落，有兩個原因。其一是外人以武力侵略；其二是工業的發展促使傳統的舊家庭開始瓦解。讓我分開說吧。

一八四〇年的鴉片戰爭可不是起於林則徐在廣東虎門燒鴉片，而是源於一八三四年英國取締東印度公司對中國貿易的專利權。

事情是這樣的。一七二〇年，為了擺脱老外的囉唆要求，康熙在廣州設立公行，用以處理老外與中國的貿易。這些公行起初是七家，後來增至十三家——這就是今天在廣州還活着的老人會記得的“十三行”了。一家公行處理一個或兩三個西方國家與中國的貿易。英國的東印度公司持有跟中國貿易的專利權，跟他們洽商生意的只是一家公行。到了十九世紀初期東印度公司的生意盈利變得很大，每年交給英國政府的税佔該政府庫房總税收的十分之一！其他的英國商人呢？他們沒有許可權跟中國貿易，只能從事成本較高的走私，而走私到中國是以產於英屬的印度的鴉片為主。

這些走私英商雖然也有利可圖，但患上眼紅症，見東印度公司的暴利如斯，聯手要求英國政府取締東印度公司的中國貿易專利。一八三四年東印度公司的中國專利被取締了。然而，眾多英商雖然能合法地跟中國貿易，他們只能通過一家公行從事。這家公行當然大有進賬，而稱為“行商”的公行辦事人的生意手法了得，懂得怎樣榨取。英商於是從東印度公司遷怒於公行，外交途徑無效，今天香港怡和的兩位創辦人之一的James Matheson上書英王，主張出兵，以武力強迫中國開放貿易。這封信一九六一年我在洛杉磯加大圖書館讀到。其他主張出兵的英商及政客不少。

一八四〇年的鴉片戰爭中國不堪一擊。一八四二年的《南京條約》一起筆就廢除公行，鴉片卻隻字不提。跟着鴉片進口中國的急升導致銀兩大量外流，通縮出現，太平天國的起義始於一八五〇，為時甚久，死人三千萬。跟着英法聯軍火燒圓明園，到一九〇〇的八國聯軍中國是近於奄奄一息了。我們不容易明白為什麼一個發明火藥與指南針的國家，一個三千年前冶煉金屬的技術無與匹敵的國家，一個富甲天下數十世紀的國家，可以被一小撮需要乘船多天、沒有冰箱因而餓着肚皮的西洋鬼子予取予殺予攜呢？

工業發展家庭瓦解

轉談中國衰落的第二個原因吧。大約十九世紀後期，西方的工業發展開始引進中國，逐漸替代中國傳統的手工藝。這些新興工業用的機械往往龐大，而且需要配合的其他設備多，不適用於家庭；維修保養的專才也不容易在農村謀生計。同樣重要的是，這些新興工業往往採用生產線，由多人合作一起產出，每個員工的工作貢獻只是產品的一小部分。雖然我們有理由認為某些產品，以工廠、生產線製造，比不上手工藝的，但事實是，工廠與多人分工合作的安排會使產品的成本大幅下降。斯密一七七六年出版的《國富論》，起筆時描述製針工廠，指出同樣的人手，分工合作可使產量上升數百倍。

這樣，一個參與工廠操作的人的產出市值會高於留在家中操作農業或手工藝。農作的繁忙時間有季節性；家庭手工藝的產品成本遠高於工廠的。於是，從家庭工作轉到工廠去，或轉到城市經商，離鄉別井的人數會大幅地增加。不會像這些年中國開放改革後那麼多的農民轉到工商業去，但昔日離鄉別井的人相當多是沒有疑問的。百多年前我的父親從惠州跑到香港作學徒；十多年後我的母親從江門跑到香港在工廠入香水。我的叔叔伯伯也如是。在中國內地昔日當然也有類同的情況。

青黃不接惹來混亂

困難的出現，是離鄉別井爭取較高的收入，舊家庭的禮教管治要不是鞭長莫及，就是離家謀生的有了自己的生計，原先的等級排列因而逐步失卻效能。可能更重要是在舊禮教中，以道德倫理判案、不需要律師的傳統，因為工業的發展改變了家庭的結構，再不能一般性持續下去。還沒有司法制度，青黃不接，軍閥與黑幫並興，日軍乘虛而入，社會的混亂持續了近百年！

在西方，司法起自羅馬帝國，傳統上中國是沒有的。要引進司法制度很不容易。一八四二年英國佔領香港，引進的司法制度是英國的普通法，有那裡的前案例為憑，而一九九七之前終審法庭還是在英國。但香港當年一方面用英國的普通法，另一方面法庭考慮中國的禮教與風俗傳統。就是在今天香港的法庭還在引進中國的風俗一起考慮。

我們容易想像昔日的中國，因工業的發展而要引進司法，會遇到很大的麻煩。普通法顯然不能用，因為要有悠久的前案例的支持。歐洲的大陸法模式原則上可以用，但昔日的中國是連正規律師也沒有的國家。就是到了經濟發展足以震撼世界的今天，在司法上中國還有好一段路要走。

中國文化光芒依舊

回顧中國數千年的盛衰的大略史實，我們不可以沒有很大的感慨。然而，在數千年的發展過程中，今天回顧，我們可以看到一把明亮的火，其光芒是人類的驕傲。那是炎黃子孫的文化。無論文字詩詞、金屬器皿、玉石雕工、陶瓷技藝、絲綢刺繡、文房四寶、書法繪畫，等等，一律純而厚，變化多而妙，說是舉世無匹不容易有爭議。自開放改革以還，出土文物多得不得了，其中不少精彩絕倫，博物館沒有見過。看到這些文物，我無師自考二十多年後，說：中國的歷史恐怕要從頭再寫了。見到新奇的古物遐思是有趣的玩意。

羅貫中寫《三國演義》，起筆道："話說天下大勢，分久必合，合久必分。"回顧歷史，我們體會到的是中國"合"的壓力遠比"分"的壓力為大。用老人家發明的經濟思維作解釋，這分久必合的頑固現象是源於純而厚的文化來得很廣及，"合"可以相當大幅地節省交易或制度費用，而"分"則這些費用會增加。

二〇〇八年科斯、諾斯等比我更老的老人家提出一個問題："地球人類曾經有五個古文化，皆倒了下去，只是中國的正在再站起來，那是為什麼呢？"文化的純而厚是我給他們的答案。這個偉大的文化不可能跟該文化中的禮教傳統沒有密切的關係！

第四節：國家理論：什麼是國家？

國家理論（theory of the state）又稱國政理論，其實二者不一樣。上世紀七十年代初芝加哥大學的施蒂格勒與貝克爾等人成立一個研究所，用上"state"一詞。他們研究的是國家政策的問題，屬國政。另一方面，“國家理論”的要點是問：“什麼是國家？為什麼會有國家？”這些問題不淺，因為原則上一個小家族可以自封為“國”，而當今之世，有些小島註冊為國，能否被國際承認是另一回事。問什麼是國家或為什麼會有國家，我們要從歷史有載的角度看。

巴澤爾的“國家”打不進歷史

不少學者思考過“為何有國”這個問題。我熟知的例子是自己曾經任教十三年的西雅圖華盛頓大學。當時那裡研究經濟歷史的諾斯與他的追隨者就這樣問。開門見山地處理的是巴澤爾二〇〇二年出版的《國家理論》(*A Theory of the State*)一書。巴兄也屬華大，自己卓然成家，不是諾斯的追隨者，他問的當然是國家的性質了。

巴澤爾給國家的定義有兩方面。其一：國家由多個成員組合，但受到第三者以武力監管。其二：成員在一個地域界限之內居住，而這界限是監管者的武力鞭長可及的。巴兄大作的內容包括立例管治、權力架構、公眾事宜與監管費用等。

巴澤爾描述的國家性質沒有錯。然而，從上文提出的“歷史有載”這個比較嚴謹的準則看國家，巴兄說的“國家”打不進歷史！二戰期間我在廣西見到的幾條小村落，全部合乎或擁有他說的關於國家的性質。歷史可沒有說小村落是國家。事實上，二戰之後，香港及好些內地城市出現了不少黑社會組織，皆合乎巴兄說的“國家”規格。

國家公司有三項特徵

說中國的舊家庭是一家公司組織無疑對；說國家是一家公司組織無疑也對。科斯之見是國家要作為一家公司看首先由列寧提出。這裡的關鍵問題是：歷史有載的國家的特徵跟我們大家日常見到的公司機構有什麼分別呢？一九八三年我發表《公司的合約性質》，指出公司要從合約結構的角度看。三十年後的今天該文被引用的頻率在上升，顯示着該文的論點是愈來愈被行內的朋友接受了。從合約結構的角度看國家，歷史有載的準則需要一起包括本章分析過的三項：其一是處理收入分配與再分配（見第一節）；其二是處理產權與人權的界定（見第二節）；其三是人民要共享一個共同的文化（見第三節）。換言之，沒有這三者的合併存在，一個公司組織不能在歷史記載上成國。當然，吹毛求疵地看，任何公司甚或家庭組織都有這三者的合併，但歷史有載的國家這合併是強烈地明顯。換言之，對"國家"的看法我在本章已經寫了出來，本節再刻畫上述三項的要點。

身為炎黃子孫我對"國家"的看法比諾斯、巴澤爾等朋友佔了一點優勢，因為我不僅看西方，而且多看了一個文化歷史悠久的"天下"大國，何況那是一個曾經出現過多次"分久必合"的國家。

傳國璽的典故有歐洲歷史的支持

中國有一句老話："普天之下，莫非王土；率土之濱，莫非王臣。"這句話的經濟含意是：天下的人附地而生，但沒有勞動力土地沒有產出；強者為王，王要土地，也要庶民，所以國有地界，庶民生在那裡就是那裡的國民，要退出他往不容易。我相信在古時，不管是中國還是歐洲，一國之內的所有土地皆為持有武力強勢的帝王所有。我曾經為了好奇而考查過一個印章的典故，屬傳説，是真是假今天難以考究。內容可信，因為歐洲有類似的史實。

傳說秦始皇帝造了一個印章，稱“傳國璽”，是玉造的，誰獲得這個璽整個中國就是他的！後來該傳國璽不見了，無數後人到處找尋，皆不獲。到了唐太宗李世民，他也要找這個璽，遍尋不獲，於是自己另造一個。記載說，貞觀十六年太宗造了自己的傳國璽，意思也是該璽在誰之手天下就是誰的。傳說是“玄璽”——“玄”可解為白玉，可解為黑色——但我認為該璽可能是當時也稱為金的紅銅造的。太宗命刻或鑄的傳國璽有“皇天景命，有德者昌”八個字。

傳國璽這個典故是傳說，但古時一國之地皆為王者所有，這有歐洲歷史的支持。一九九七年之前，除了三小塊，所有香港的土地皆屬“皇家”所有。一八九九年，英國出版了Pollock與Maitland合著的《英國法律史》。那是兩卷很厚的巨著，雖然有人批評為不可靠，我認為十分好——五十多年前在阿爾欽的極力推薦下我拜讀過。該巨著追溯英國法律的演進，主要是關於土地的法律，從皇上而下分發，有郡主分割制，土地使用的年期由短加長，也有以使用家族的壽命為期限，土地的轉讓權經過幾種有趣的變化。這使我意識到使用權重要，收入權重要，轉讓權重要，但從生產的角度看所有權是不重要的。這意識是上世紀八十年代初期我建議北京把所有權與使用權分離的原因——國家保持土地的所有權對經濟發展不會有不良影響。

土地所有權可以維護權力

我給上述歷史的經濟解釋如下。昔日王者得國，持有土地，但王者與下屬官員不可能全部親自耕耘，要發放出去給庶民操作，從而收租或抽稅。古時，租與稅往往是同一回事，中、西皆然。這土地的發放往往通過幾個層面，諸侯、貴族或不同等級的排列出現，而今天的歐洲雖然土地的使用權利早就改變了，但級別的不同稱呼不少還保持着。

美國的崛起源於新大陸的發現，土地的所有權為個人所有源於霸佔土地或誰耕誰得的發展。但在古時的歐洲及中國，土地的所有權往往被王者或高級別的保持着，只發放使用權出去。上頭保留土地的所有權的意向歐洲似乎比中國重視一點。

為什麼王者或貴族要保持與收入利益無干的土地所有權呢？一個解釋是在名義上他們會比較容易地徵收租或稅。但事實上，擁有武力的上頭徵收租或稅不需要持有土地的所有權。我認為較為可取的解釋，是持有土地的所有權可以協助維護王者或上頭的權力：你不聽話，我拿回你的土地轉交給其他人。這樣，無論是中國的風俗倫理還是西方的司法程序，持有土地的所有權是權力的保障。

爭取或維護權力應該是古時王者的座右銘吧。要吃要穿要住的就是那麼多，後宮佳麗無能享受三千人！這一切不需要很多的土地，但沒有權力一個佳麗恐怕也保不住。杜牧寫"銅雀春深鎖二喬"用不着很大的想像力吧。爭取土地與附地而生的庶民是中國歷史寫之不盡的故事。我認為這些不是源於王者的收入享受之爭，而是他們的權力或維護權力之爭。歷史說唐太宗是個好皇帝，生活不奢華，而我們今天見到的證據是李世民的文章與書法皆精。然而，爭取與維護權力太宗整生沒有鬆懈過。歷史也說玄宗李隆基是個聰明人，他的貴妃楊玉環不僅貌美勝花，而且是個天賦甚高、沒有半點野心的好女人。只是他與她皆不懂得維護權力，落得慘淡收場。

人的自私促長掠奪；人的自私策劃防守。二者皆要權力。很少人擁有李白的天賦，有恃無恐，可以仰天大笑出門去。

收入再分配是大麻煩

轉談上文提到的一個國家必有的三個特徵吧。先說收入的分配與再分配。本章第一節指出，市場經濟有機會導致貧富分化，過於極端可以滅國。收入再分配因而往往需要。另一方面，一個非市場的等級排列制度，例如中國改革前的幹部等級排列，收入再分配就不是重要的考慮了。這裡有一個左不成右不就的選擇：市場經濟可使國家富有，但往往要考慮收入再分配；不需要考慮再分配的制度要放棄市場，但國家貧窮是後果。原則上當然應該先選富有然後再作打算，這是歷史上多數國家的選擇。然而，因為利益團體的操作與窮人的要求無盡，收入再分配要辦得妥當很困難。好些國家以種族歧視或貴族、平民的人權等級劃分，索性把窮人永遠壓下去！要處理這些麻煩是一家"國家公司"的三個特徵之一。我們日常見到的公司機構或政府機構沒有這些麻煩。

以抽稅的方法作再分配近於一律沒有可取的經濟效果，而抽稅的費用可以高於稅收所得。美國的經驗是派發福利的人手工資高於派發出去的錢，而鼓勵長貧是福利制度的致命傷。經濟學者高舉的人頭稅（head tax）英國前首相撒切爾夫人曾經嘗試推出，害得這個鐵娘子要下台——人頭稅不能直接地把收入再分配。

從經濟學的角度衡量，我們不容易明白為什麼北京要打壓樓市。樓價的升降其實是地價的升降，而土地是財富累積的倉庫。地價一般性地上升是反映着經濟增長，財富增加。要把收入再分配當然以地價高為上了。我曾經寫過怎樣利用地價上升來協助窮人，這裡不再說。至於我們聽到的要防止樓市"泡沫"的言論，我不懂。不是說市場不可以有泡沫這回事，而是經濟邏輯不支持我們聽到的說法。這話題我也解釋過了。

人權不平等的正確闡釋

轉談國家的第二項特徵：要處理產權與人權的界定及等級排列。這點我在本章第二節作了分析。人權平等是今天“普世價值”的核心話題，實際上很難辦到。我認為爭取人權平等的言論是一種政治動作，真理不要這樣看。真理是，人權不平等對經濟的發展不一定是負面的，而從社會道德的角度看也不一定是壞事。

有兩點，其一是在某些情況下，人權不平等的排列，有了界定，可以減少因資產界定不夠清晰而出現的租值消散。這點我在其他地方解釋過了。

其二更重要。如果因為你的膚色或出身低下社會把你小看了，對你歧視，即是把你的人權等級壓下去，這對社會的經濟沒有好處，從道德的角度看也不值得慶賀。但如果一個窮人因為有學問而被社會格外尊敬，在市場或公眾場所受到禮待，這裡那裡有較大的方便甚或有較多的經濟利益，那麼從經濟與道德的角度看，人權的不平等不是壞事。換言之，把某些人的非市場排列的人權壓下去一般對社會有害，但把某些人的非市場排列提升一般對社會有利——這當然不包括見到人家有錢就跪下來那種俗不可耐但相當普及的行為。在公交車上見到一個老人你讓他先坐是好風俗，但這也是人權不平等的正確看法。

我的投訴，是今天的中國人凡事講錢，金錢之外的個人成就沒有得到我在年輕時見到的敬仰或尊重。尤其是今天內地的大學，教師寫文章是因為升職要算數量，也要講人際關係，思想的重要性沒有誰注意，也即是人權本身不會因為學問了得而提升。多年前在美國任教職時，偶爾聽到來自香港及台灣的同學投訴受到種族歧視。我通常的回應，是讀書成績出眾其他同學會刮目相看。這是說人權可以自己爭取調校。

如下故事是真實的。上世紀七十年代初期，在西雅圖華大，經濟學系的主任是二十年後獲諾獎的諾斯。此公喜歡在新學年開始時給同事訓話，其實來來去去都是鼓勵年輕的多寫重要文章。某次他訓話後幾個同事相聚，一位新來的顯然對諾斯的訓話有反感，說："寫文章我不會是為了跪下來吻諾斯的腳。"另一位同事立刻回應，說："錯了！你寫出一篇重要文章諾斯會跪下來吻你的腳。"後者對諾斯的描述是中肯的。我認為今天中國的大學需要多幾個像諾斯那樣的人。

中國文化不滅的證據

最後談文化，是本章第三節提到的最後一個重要的"國家"特徵。我認為文化是中國今後發展的最大本錢。中國的文化純而厚，一般的觀察之外，我的重要證據有二。其一是長達十年、搞得天翻地覆的文化大革命，中國的文化竟然革不掉，其頑固的整體存在使我這個老人家覺得有點不可思議。

其二是二〇〇〇年中國的通縮終結，與中國文化有關的收藏品的拍賣價開始上升，十年上升了約五十倍。更重要的證據，是中國今天的總國民收入約地球的十分之一，但收藏品的拍賣總價，今天中國約佔地球的三分之一。一個很可能是從圓明園搶去的花瓶，二〇一〇年在倫敦拍賣，成交價五千三百多萬英鎊（當時人民幣五個多億）；同年一個乾隆皇帝的"自強不息"玉章，拍賣成交價二千七百多萬英鎊。歐洲譁然！一個從事拍賣行業近半個世紀的法國專家說，他平生沒有見過像中國收藏品那樣的現象。一幅蘇東坡的字，小的，只九個字，是真迹，今年（二〇一三）九月在紐約拍賣，成交價八百多萬美元。（後來該作的真偽有大爭議，我還是認為是真的。）上一幅蘇子的字拍賣是一九九六年，也是小幅，字數較多，地點也是紐約，相比之下，以每字算價今天的上升了約百倍。三十年後中國的收藏品總值會是多少只有天曉得，何況今天北京禁止拍賣的出土珍貴文物多得很。

從文化角度看中國前途

三十年前中國的文字因為沒有打字機，其使用效率很不妥，比不上英文。今天有電子數碼的協助，打中文比打英文還要快，修改文稿的成本近於零。中文是一種精彩語言，可以表達清晰之外，音韻平仄講究，長短句法自然。今天中國的經濟有了看頭，學中文的西方孩子無數。再過三十年中文會成為一種國際語言我們今天大概可以肯定。我也認為繁體字可能復辟：打字不論繁簡；書法漸趨普及——寫書法不能用簡體字。幾年前一幅現代名家畫的宣紙國畫，作者在畫上題詩時不小心，用了兩個簡體字，其價下降了不少。入門中文比英文容易學，但要達到下筆成文之境，中、英二文皆要大下工夫。

結論是明顯的。文化包括風俗與禮教，是維繫一個民族組合而成國的主要因素。那是我說的可以寫進歷史的國家了。國際政治我不懂。假設這些我不懂的不存在，我認為中國將來在人類歷史上可走多遠的條件主要是一個。中國人聰明西方早有定論，但到那裡求學的中國青年今天一般被評為少有創意。怎麼可能呢？創意是人類進步最重要的因素。傳統上，中國詩人的想像力是明顯地勝於其他民族的詩人，而想像力與創意是同一回事。所以我認為今天中國的學子被評為少有創意是源於教育制度的失敗，不能讓他們像詩人那樣自由自在地想。其他支持這教育制度失敗的證據很多。

文化厚度甲天下的中國使我有這樣的看法：只要地球有人類存在，中國是一個不可能被毀滅的國家。

結語：國家理論不能漠視文化

昔日幾位行內朋友對國家的成因有興趣。我不認同他們處理的路向，主要是因為他們漠視了中國。中國不僅是一個古老大國，而且數千年分分合合的史實教我們很多。弗里德曼當年對我說要從憲法的存在看國家。這不對，因為好些國家沒有憲法。從中國的歷史看，我們知道法律也不一定要有。當然有執政者，而收入或財富的再分配也是無可避免的。

我認為行內朋友處理“國家”最失敗的地方，是他們不重視文化。共享一個文化應該是一個民族可以成國的主要原因。文化這回事，牽涉到價值觀，是好是壞我們不要管。回顧中國的史實，我們知道無論是風俗、宗教、倫理、文字、藝術等，綜合起來是維繫一個國家的存在的主要因素，皆文化也。這些可以看為一組共同接受的合約，協助大幅地減少社會的交易與管治費用。

我們不難想像，如果文化的存在能把制度費用減得足夠，法治可以不用。今天，炎黃子孫可能認為昔日自己國家的倫理或風俗不合時宜，但不能否認作為一個大國，中國曾經雄視地球數千年！是的，今天回顧，我認為維繫着中華民族的歷久存在，主要是因為有一個可以減低交易或制度費用的深厚文化。所有國家或多或少要靠自己的文化維繫着，因為一個共同的文化會減低制度費用。中國的歷史不僅悠久，而且她的文化厚度讓我們看得清楚了。

我們不要因為今天的價值觀不能接受昔日的三從四德而看低自己的已往。這不是可取的學問態度。我們要問為什麼曾經

是那樣。一九七二年我在英國的《經濟學報》發表《監管子女產權與婚姻合約》，整篇從制度或交易費用的角度看中國的禮教家庭，局部而又間接地解釋了為什麼會有中國這個國家。今天我恨不得當年能多寫這類文章。

附錄一：從藝術文化看一個頑固存在的國家

（二〇一六年四月八日在廈門大學講話，牽涉到的內容正好補充着本章要說的中國“分久必合”的原因，也協助着我在卷四分析訊息費用與收藏市場的現象。此文在網上出現後，流傳甚廣，不少專家傳閱。）

不久前讀到，下圍棋，人腦鬥不過電腦。不奇怪，因為下棋可以算進複雜的方程式。我不鼓勵青年沉迷於下棋。玩玩可以，沉迷不好。有兩個原因。其一是下棋過於用心對腦子的培養可以有害。其二是下棋要真的下得好需要有一種很特別的天賦。有這種天賦的不一定是聰明人，要是沒有不管你多聰明不可能成為國手。

科學成就主要靠想像力

科學呢？有些技術需要訓練。然而，回顧人類的科學發展歷史，技術不是那麼重要。偉大如生物學家達爾文，他在實驗室的操作不到家！以我熟知的經濟學為例，這門學問近四十年來走下坡，一個重要原因是偏於數學技術那方面發展，入了歧途。科學主要是論思想，即是講內容。這樣衡量，科學的成就主要是靠想像力了。自然科學與我熟知的經濟學，足以傳世的思想，不管是對還是錯，一律靠想像力。科學思想要傳世説難甚難，説易也易，但想像力欠奉傳世機會是零。

想像力這回事，天生因素雖然重要，後天的學習也明顯地有很大的決定性。以中國為例，我們的詩人想像力很了不起，但科學的成就卻遜西方。我認為後者的不幸是後天的教育教壞了。這是為什麼我對中國的教育制度——尤其是大學的制度——屢發牢騷。

藝術以表達感情為主

轉談藝術。藝術當然要講技術，不容易，要多下工夫。論技術，我認為藝術比科學重要。一位技術超凡的畫家，想像力不足道，其作品可以賣得起錢。有大成的藝術家呢？單憑技術不足夠，加上想像力超凡也不足夠——不可或缺的是感情的表達。後者是藝術的主要困難所在。科學是不需要表達感情的。

每個人都有感情。應該是天生使然吧。道金斯會說是源於自私的基因。所有動物皆如是。沒有感情，我們難以想像人類可以生存。從成功的藝術作品那方面衡量，困難可不是感情的表達——這表達任何人都容易——而是作者要把自己的感情適可而止地傳到觀者或聽者那邊去。這是非常困難的：要觸及觀者或聽者內心深處的和弦，藝術作品或大或小要有點震撼，要誇張得自然，也要有一種令人感到舒適的美。稍有俗氣，一件藝術作品就完蛋了！

想當年，黃苗子給我上書法的第一課。他叫我拿起毛筆寫幾個字給他看。我胡亂地在宣紙上寫了幾個字，他立刻說："你可以學。"我問他為什麼。他說："你的字沒有俗氣，過了最難的一關。"那是二十五年前。今天回頭看自己的舊作，總是覺得有點俗不可耐。可見感情有真假之分，米芾說的"振迅天真，出於意外"談何容易！

繪畫藝術中國走下坡

論藝術文化，中國的歷史傳統了不起。當然，西方也有獨到之處。從畫作那方面看，從藝術的哲理衡量，西方要到十七世紀中葉才能與中國打個平手。他們的文藝復興只不過是五百年前。十七世紀中葉他們出了一個倫勃朗，擺脱了舊宗教的約束，推出放開空間的畫法，可與我們北宋時期的范寬比一手。約一百年後，比起西方，畫作藝術中國開始敗退。到了十九世紀中葉，法國的印象派光芒不可方物，我們是給比下去了。然而，法國印象派有幾種闡釋。我認為最可取的闡釋是：感受上的真實比實物本身還要真。以這闡釋衡量，所有中國的傳統畫作都是印象派。

十八世紀中葉起中國的繪畫藝術開始走下坡是明顯的。為什麼呢？我們知道，在君皇時代，皇帝的取捨會重要地影響藝術的發展，中外皆然。在視覺藝術上，十八世紀中國的敗退主要是源於乾隆皇帝這個人。乾隆重視藝術，可能是人類歷史上最大的藝術收藏家。可惜此君的品味俗不可耐！這可見於他寫下的幾萬首詩。我們不要罵乾隆。同樣能幹的法王路易十四，同樣重視藝術，也同樣俗不可耐。洛可可藝術是路易十四的影響。沒有感情的華麗作品，是金錢加俗氣的結果。乾隆時期的官窰瓷器，不是很有點洛可可嗎？

民間藝術有可觀

今天回頭看，十八世紀中國的視覺藝術發展不是一律敗退。民間的藝術發展有可觀。這裡我要特別提出的是壽山的石雕藝術。這門藝術的鼻祖楊玉璇是康熙時期的人，我找到的證據是他專為宮廷操作。到了乾隆時期的周尚均，宮廷之外他的民間作品多，賣得起價。再跟着的就是東門與西門派別的發展，了不起，而其中西門的林清卿的石雕藝術之高，令人歎為觀止。可惜林氏的重要作品被一小撮人珍藏起來，今天的市場不多見。我曾經認為雕塑藝術中國遜於西方，但見到清卿的兩件精彩作品後就改變了主意。另一方面，天賦甚高的揚州八怪也是乾隆時期的人，得不到宮廷的賞識，只能在民間賣小品。

中國的藝術哲理

說在傳統上，中國的視覺藝術非常了不起，我沒有誇張。同學們要找機會細看約一千年前北宋范寬畫的《溪山行旅》那幅巨畫（今在台北故宮，市場有很好的日本複製）。我為這幅畫思考了很久，認為該畫達到的境界到今天也不能被超越。該畫不可能是碰巧之作，而是反映着一個偉大的藝術文化傳統。

在視覺藝術的哲理上，中國古時達到的深度令人嚮往。各家各法多得很。這裡我禁不住要例舉唐代孫過庭寫於公元六八七年的《書譜》。論上佳的書法，孫前輩教我們如是看："觀夫懸針垂露之異，奔雷墜石之奇，鴻飛獸駭之資，鸞舞蛇驚之態，絕岸頹峰之勢，臨危據槁之形。或重若崩雲，或輕如蟬翼。導之則泉注，頓之則山安。纖纖乎似初月之出天涯，落落乎猶眾星之列河漢。同自然之妙有，非力運之能成。信可謂智巧兼優，心手雙暢；翰不虛動，下必有由。一畫之間，變起伏於鋒杪；一點之內，殊衄挫於毫芒。"

書法沒有畫面，文字內容不重要，只憑點點畫畫來觸動觀者內心深處的情感，談何容易？孫前輩是說：如此這般可以做到！《書譜》三千多字，書法好，文好，字字珠璣，令人拜服。有人說那是論書法的一個序言，我認為是全文。現存台北故宮的《書譜》真迹缺少了好幾百字，可幸也缺字的太清樓《書譜》拓本剛好有那幾百字，合併起來我們今天可以讀到

《書譜》的全文。我建議同學們背誦這篇文章，學不到書法也學得什麼是文氣什麼是文采。

西方的藝術哲理雷同

書法這種抽象藝術中國獨有。中國歷代對藝術哲理的評論有不少佳作，但也有好些過於抽象，我讀不懂。我是個看不到皇帝的新衣的人。西方的視覺藝術哲理的言論，佳構不少。我欣賞梵高、莫奈、塞尚、畢加索、羅丹等人對藝術的看法——尤其是塞尚。這些言論不難找到，同學們要拜讀。跟中國一樣，他們說的來來去去也是怎樣把作者的感情觸及觀者的內心深處。

美國詩人愛倫坡曾經寫下如下的話："在最魯莽的人的內心深處也有和弦；但若沒有感情，這和弦是不能觸動的。即使那些完全陷於迷惘之境的人，覺得生與死同樣可笑，但對某些事物他們還是不能嘲笑的。"

愛倫坡早逝。在他的墓碑上有人刻上這句話："沒有奇異的層面，不會有精緻的美！"這不就是我們的孫過庭說過的嗎？可見藝術的真諦，其哲理沒有中、外之分。人類就是人類，道金斯會說是動物的基因使然。

每個人都應該嘗試藝術

在美國讀本科時，我修西方的藝術史成績好，獲邀請作藝術史的助理教員一個學期。一九五五年，十九歲，學人家搞藝術攝影，第一天嘗試我攝得的兩張作品不僅入選沙龍，而且被印在該年的國際沙龍的年鑑上。一九五八年在多倫多我作過幾個月的職業人像攝影師，其後為了幫補生計，在美國加州傳授自己發明的攝影方法。一九六七年在長灘藝術博物館舉辦攝影個展，盛況一時。想來是無聊玩意，但當時專研經濟，日夕思考，很苦，憑一種藝術媒介發洩一下是有其需要的。

我認為每個人都應該嘗試一下藝術的操作，不是要成為什麼藝術家，而是要讓自己的感情有個好去處。尤其是像我這種搞思想創作的人，遇到難題需要日夕思考，久不久總要找些什麼來讓腦子鬆弛一下。今天我找什麼藝術媒介來嘗試呢？攝影要跑來跑去，音樂自己的耳朵有點問題，繪畫的色彩與工具可以弄得一團糟，雕塑要有一個特別的工作室。我於是想到書法。宣紙與墨汁皆相宜，可以亂寫一通，而機緣巧合，讓我一手買下文革時期製造的幾百枝羊毫筆。老師呢？上海的周慧珺免費教了我多年。我是五十五歲才開始研習書法的。

以物為本考查訊息費用

我對中國的藝術文物的研究，是另一個故事。一九七五年春天，在西雅圖，我對同事巴澤爾說我不同意當年盛行的關於訊息費用的幾種理論。我對他說考查訊息費用要從物品本身的特徵入手，即是說我們要找一些訊息費用奇高的物品，細察其特徵，從而理解為什麼這些特徵會導致高的訊息費用，然後推敲市場會怎樣應對。當時正準備到香港度長假，我對巴兄說會到那裡考查產自緬甸的翡翠玉石。一九七五年我在香港的廣東道花了兩個月買玉賣玉，教我的專家朋友不少，可惜到今天我還是不懂得翡翠玉石的質量高低應該怎樣看。但我後來還是推出了一個重要的玉石定律。這定律的起點，是訊息費用奇高的物品，沒有專家作判斷不值錢，跟着的有趣含意這裡不說了。

解通了財富累積大難題

一九八二年回港任教職，八三年我轉向研究產自壽山的田黃石。田黃也是訊息費用高，但跟翡翠不同。翡翠難分優劣，田黃難知真假。翡翠我學不懂，但田黃我算是學懂了。這些及其他收藏品的研究不僅讓我寫下在《經濟解釋》中很好的一章，可能更重要是讓我推出一個關於財富累積的“倉庫理論”。財富累積是近代經濟學的一個大難題，曾經有四位大師嘗試過，皆失敗。

我的“破案”方法簡單，從倉庫的角度入手。累積財富是要有倉庫的。所有金錢以外的資產都是倉庫。你買一間房子，是倉庫，房子的市值就是你的財富。這市值是由預期的收入折現而得。這裡的問題是收入必有上限，所以作為財富累積的倉庫，房子的市值也必有上限。如是推論，所有靠預期收入來折現而求得財富的資產，必有上限。這樣看，如果一個社會只憑這類資產作為財富累積的倉庫，到了上限，花不掉的錢要放到哪裡呢？

這是一個無法找到均衡點的大難題。我破案的關鍵，是指出沒有收入或不靠收入的收藏品沒有市值的上限。只要加進這些收藏品作為財富累積的一些倉庫，整個關於財富累積的倉庫理論就浮現出來了。

中國文物出土了

在我一九八一年寫好、一九八二年發表的一本小書中，我肯定地推斷了中國會轉走市場經濟的路。憑着日本七十年代的經驗，我跟着推斷藝術或文物的收藏品，在中國將會出現一個很大的市場。這是為什麼在考查壽山的田黃石之後，我轉到其他收藏品那方面去。除了珠寶及一些現代的藝術品，其他收藏品的訊息費用甚高。古書畫的訊息費用當然高，而在八十年代中期開始，中國的出土文物多，其訊息費用也高。

要判斷一件收藏品的市值，有四方面的困難。其一是鑑別真假，其二是鑑別優劣，其三是判斷其重要性，其四是衡量市場的接受性。鑑別優劣比較容易學，這裡不談。讓我略說其他三項吧。

收藏品的真假鑑別

鑑別真假我採用的方法跟專家們用的有別，比較容易，但能過關而被我接受的機會較高。我的出發點，是藝術或文物收藏品我們一般不可能證明是真的。於是，我集中於找尋假的證據，找不到不能說是真，但可以接受。

以兩年前吵得熱鬧的蘇東坡手書的《功甫帖》為例吧。該帖只幾個字，沒有蘇子的署名，拍賣成交價八百多萬美元。有專家說是真，也有專家說是假。我怎樣看呢？沒有假的證據，可以接受。說該作是假的專家主要是兩點。其一是字的筆觸有點偏側，不像蘇東坡的字。但蘇子寫字不提筆，即是手腕按在桌上寫，《功甫帖》的字較他通常寫的大，所以略偏。其二是翁方綱的跋言，專家說字多擠迫，不像翁氏的字。但翁方綱這個人就是囉嗦，空位不夠他就要這樣把字擠進去，何況印章絕對是翁氏本人的。要注意，我可沒有說《功甫帖》是蘇子的真迹——怎可以知道呢？不可能知道。我只是認為沒有問題，可以接受。奇怪是在這大爭議中，我沒有讀到那幾個字是不是寫在宋朝的宣紙上。

是的，真不能證，但假可以證明。假冒得真假難分是很困難的事。我們可以從很多方面找到假的證據。市場偽作無數，懂得鑑別通常可辨，有時甚難。有時我明知是假也要弄來研究一下。

從作品重要性說小蠻腰現象

判斷一件作品的重要性也不易。懂得判斷不難賺錢，可惜往往要過了一段時日才知道。收藏有這麼一個市場規律：同類的作品，假以時日，重要作品的價值上升，其增長率一般比普通的為高。同類作品，價格上升時一起升，但下降時重要的不降，或降很少。換言之，同類作品或同一作者，重要與不重要的作品的價格差距會因為時日的蹂躪而愈來愈大。例如我知道某名家的畫作，同樣大小，二十年前重要的三十萬，普通的二十萬，今天卻變為二千萬與二百萬。重要的上升了六十多倍，普通的只十倍。理由是重要的精品數量一般甚少，在藏家的手會有頑固的收藏性：不容易買回來的作品不容易放手。

上述的假以時日，同類或同一作者，重要與普通作品的市價的比率會分離這個規律，解釋了這些日子拍賣行的朋友告訴我，經濟不妙，拍賣的成績出現了一個小蠻腰。這是說，高檔次層面的，總金額不變；中層的大跌；低層的只是略跌。這樣，一個小蠻腰就出現了。要投資於收藏品嗎？不是簡單的學問！

推斷市場向哪方走不容易

最後談市場的接受性，牽涉到的是我曾經寫過的財富累積的倉庫選擇。簡化一點看，這是廣東人說的成行成市的問題。珠寶、金飾那類訊息費用不高的藏品不論，書畫與文物這些大有鑑證困難的物品，哪些會被市場寵愛呢？事後孔明，我們知道在拍賣行書畫很吃香，瓷器一般，壽山石雕平平，其他雜項不碰巧賣不起價。不久前聽到清代的金器很吃香。

能預先知道某項的藏品會有可觀的市場接受性當然有利可圖，例如幾年前你搶先收購清代的金器今天會是很開心的事。

為什麼你沒有猜中？我沒有猜，所以不中。讓我在這裡給同學們出一個試題吧。北宋的瓷器有鈞、哥、定、官、汝這五大名窰。皆出土文物，今天不能在中國內地買賣，但總有一天會開放。同學們能猜中哪個窰會跑出嗎？經濟學可以推斷這類問題，相當準，但要花時間考查，也要懂得把訊息費用的處理與我提出的倉庫理論合併起來。

訊息費用高惹來的現象

訊息費用高的物品其市價的方差可以大得驚人。同類或差不多的物品，在不同市場其價之差可在百倍以上。懂得鑑證的專家要有相當長時日的考查投入，加上如果專家不親自收藏不容易學得好。另一方面，有了可靠的知識，這些專家喜歡秘技自珍，不會輕易地傳授外人。再一方面，有些基本上算不上是專家的，卻大言炎炎，以專家自居來提升自己的身價。總之訊息混亂，不親自拿着實物鑑察不容易學。

這就帶到拍賣行這個有趣行業。原則上，一些拍賣行的存在是為了減低難辨真假的收藏品的訊息費用。我知道他們找鑑證專家比找拍賣物品更困難。他們都有鑑證專家，是否可靠卻有不少問號。我絕不懷疑這類拍賣行初辦時一律意圖賣真貨，因為這樣才有前途，但發展下去的結果往往是另一回事。可靠的專家難找，沒有疑問的物品難求，加上有問號的作品也可以沽出，可以賺錢，拍賣行當然也會賣假貨。有大成的拍賣行懂得怎樣處理。另一方面，有些物品滿是問號的小拍賣行，其中也有專家認為是真貨的。我認識兩位專家朋友就喜歡到問號多多的小拍賣行去，以懂勝不懂，賺到錢！但這是很花時間而又要用心的工作。

造價的行為

還有另一個有趣的拍賣現象。因為拍賣行的成交價一律公開，而價高可以提升一個藝術家的身價，一些健在的藝術家喜歡造價，即是利用某些方法把自己的作品的成交價推高，是否真正成交是另一回事。一般而言，拍賣行無從約束這些行為，何況賣家造價拍賣行也照樣賺錢。是不道德的行為嗎？有趣的答案是不一定。

造價不成功的藝術家當然有；造價有中計的購買者也有。但我知道有些藝術家，以造價的方法把自己的身價造起後，此前購買了他的造價作品的終於賺了大錢。想想吧。一個藝術家把一件作品交到拍賣行去，後者估價五萬，作者要十萬底價。拍賣行說不要，藝術家擔保可拍十萬以上；拍賣行認為試試無妨，藝術家自己購回，交買賣雙方的佣金，不容易說是不道德行為。天可憐見，造價造來造去也失敗的藝術家是存在的。造價不成功作者要付大約估價百分之二十五的雙方加起來的佣金。

不同意行內之見

上述我簡略地說了我在訊息費用那方面的研究與見到的一些有趣現象，從一九七五到今天是四十一年了。有些發現與分析是寫進了《經濟解釋》中，但大部分的細節還沒有機會下筆。今天八十歲了，可能不會有機會寫出來了。當年我對他家的訊息費用的分析有些什麼不滿意呢？有三方面，我皆認為不可以接受。其一是我的好友施蒂格勒的市價變差數（即方差）理論。施兄說因市價有方差，購買者要找尋，我卻認為方差的存在是購買者找尋的結果。

其二是阿克洛夫在《檸檬市場》一文內提出的訊息不對稱

理論，例舉出售舊車的車主對車的性能比購買者知得多，訊息不對稱，劣車金玉其外，害得好的舊車車主不願意一起賣出去。我認為正是因為這種不對稱才出現有鑑定與修理舊車的中間人在市場出現。更重要是我認為在基礎上阿克洛夫的出發點是錯了的。說訊息不對稱只不過是說訊息費用會影響行為，說了等於沒有說。如果天下的人全部是蠢才，什麼也不知，又如果天下的人全部是天才，無所不知——訊息費用的存在與不存在皆不會影響行為。說訊息不對稱只不過是說訊息費用的存在會影響行為罷了。

其三是斯賓塞提出的訊號理論。這理論說僱主聘請員工，員工花時間成本提供自己的履歷，這些履歷各各不同，工資會有別，但工資的整體不變，所以提供履歷的成本是浪費了。我認為如果一間工廠採用件工，算件數發工資就是可靠的生產力訊息，履歷的提供是為了另一些事。時間工資是不會大幅地跟件工工資分離的。

上述三位的訊息分析很大名。說他們聰明當然對，說他們的理論有趣也對。可惜他們的理論沒有通過嚴格假說驗證，違反了實證科學必須通過的一關。施蒂格勒重視驗證，但在訊息費用上他沒有做好。

思想傳世應走的路

以事實驗證一個理論的一個或多個假說往往是不困難的工作，一般有趣，而最重要是這樣寫出來的文章傳世機會遠高於任何其他經濟學文章。我恨不得自己當年能多做，選簡單有趣的入手。我曾經發表過兩篇近於舉手之勞的驗證文章，今天還有人注意，說不定傳世會逾百年。其一是一九七三年發表的《蜜蜂的神話》，前前後後我只用了三個月。其二是一九七七年發表的《優座票價為何偏低了？》，前前後後只用了兩個星期。

可惜生命就是這樣，過去了的日子不會再回頭。但我們可以回頭看。回頭看，要是四十年來我從考查訊息費用所得而一篇一篇地發表像《蜜蜂》或《票價》那個水平的文章，可以容易地獲兩掌之數。思想要傳世真的不是那麼困難，問題只是要怎樣處理而已。我是要過了從心之年，回頭看自己發表了的作品，才意識到思想傳世可以不困難。有趣的現象，得到巧妙的簡單闡釋，就彷彿是莫扎特的音樂了。

這裡我還要給同學們一個重要的提點。在驗證假說的經濟學題材上我可以信手拈來，擲葉飛花，主要是因為自一九六九年起我喜歡在街頭巷尾到處跑。我相信自己的眼睛，重視跟一個現象有關的細節。我認為最蠢的經濟學者是那些意圖解釋沒有發生過的事或沒有出現過的現象。

轉向研究出土文物

回頭說中國的藝術文化，我們古時用物品陪葬這個風俗幫助了我們今天要知道自己的已往一個大忙。用物品陪葬這回事，其他文化也有——埃及某金字塔內找到的金器確實精彩。但論到物品的變化之多，其工藝的精妙，不同時代的演進，中國有的不可思議，絕對是人類文化的光輝。

大約一九八五年，中國的改革帶來大興土木，出土文物紛紛在香港的地攤出現，再過十年盜墓的消息時有所聞。我對訊息費用的考查當時還在繼續，當然不會放過這些文物的是真是假這個問題。尤其是，北宋的汝窰瓷器當時據說舉世只有三件，價值連城，怎麼在香港的地攤幾百港元可以買到呢？想當年，汝窰的幾種變化難辨真假，我要派人到河南的汝窰產地考查。看到他買回來的說明是仿製的汝窰，我才知道香港的地攤貨不可能是現代燒成的。比起仿製，地攤貨之價低很多，且遠為細緻、精美。當時還不能肯定地攤貨是真還是假，但我意識到在物品訊息費用高的情況下，同樣是真品，其價可以有很大的差距。換言之，訊息費用奇高的物品，我們不能從市價判斷真偽或優劣。

集中收藏與集體失蹤

我當然不贊同盜墓，但文物既然出了土，我們要悉心地整理、研究，務求把自己的文化演進知得詳盡、正確一點。我要在這裡提出一個有趣的觀察：文物如果被一個或一小撮人集中地收藏起來，可以出現集體失蹤的效果，也可能集體地再出現。歐洲的繪畫天才梵高是個例子。在生時他的畫只賣了一幅出去。謝世葬禮時他的弟婦要送給追悼的朋友，只有一兩個人要一兩幅。於是，弟婦集中地把他的作品收藏起來。後來一起展出，地動山搖！梵高的畫作很少有署名，但因為被集中地收藏了，後人學得怎樣鑑證。

在中國，藝術作品被一小撮人集中收藏的例子，我知道的有漢代的某類玉石作品，有元代宮廷燒製的青花與青花釉裡紅的瓷器，有楊玉璇的壽山石雕作品，也有林清卿的深雕石作。那大名鼎鼎的柴窰瓷，被一小撮人近於全部收藏，以致一些書本說沒有柴窰這回事！這些曾經集體失蹤的文物一律是精品，就我所知已經是那麼多，還沒有發現的應該無數。

我差不多可以肯定，在還沒有打開的武則天的乾陵之內，有無數的中國古書畫。據說唐太宗以一字千金舉國搜購了三千多幅王羲之的字，為什麼今天一幅真迹傳世也沒有？很可能全部埋在乾陵，慎重地保存着。也應該包括那今天不知值多少錢的《蘭亭》。我們知道高宗精於書法，而武則天是個才女。記載説高宗把《蘭亭》放進一個玉盒，答應太宗給他陪葬，但太宗謝世，着迷於書法的高宗怎會放手呢？又例如張旭的字。遺存到今天只有《古詩四帖》，沒有署名，只是憑董其昌説是張旭的。天曉得是不是。《古詩四帖》的確精彩絕倫，令人嚮往。武則天謝世時張旭三十歲，已經揮毫落紙如雲煙，説不定乾陵有多幅張旭的字。其他的古書畫精品應該無數。最近在江西南昌出土的海昏侯墓，內裡的有趣、精美的小金件我以前沒有見過。可能又是被一小撮人集中收藏起來了。

研究文物要按時期處理

可能是我少見多怪，但在我考查訊息費用的過程中，從古文物見到的證據跟史書上的記載有出入。不再説書畫與壽山石作，有幾種工藝作品我們要注意幾個時期。玉石作品起於六千年前的紅山文化，極盛於漢，餘不足道。重要的金屬器皿起於商的青銅，引進金與鋅的大變化見於春秋戰國，唐太宗與武則天專於黃金與黃銅，餘不足道。瓷器藝術的發揚光大起自後周的柴世宗這個天才，跟着的主要貢獻者有北宋的徽宗，元代的忽必烈，明代的憲宗，清三代的三個皇帝與乾隆養着的道士郎世寧，餘不足道。

我認為要是我們能有系統地研究今天見到的文物，中國的歷史有好些細節需要修改。我也認為在中國的大學的本科課程中，要有一科必修的中國文化藝術。是那麼精彩的已往，那麼有趣的學問，那麼值錢的知識，怎可以不多知一點呢？尤其是，當我們見到那些幾千年前炮製出來的文物，想破了腦袋也不知道憑當時的科技怎可以造出來，我們會知道自己的先天智慧了不起。

附錄二：從中國先拔頭籌看天下大勢

（二○一七年一月，廣州某機構邀請我二月二十五日到那裡講話。我見美國的新總統特朗普快要就職，將會帶來一些風風雨雨，就給他們提供了上述的講題。其後我花了兩個星期——從特氏上任前一星期到上任後一星期——寫下這篇講稿。寫得用心，因為打算加進這裡作為國家理論的一個附錄。

一九八二年我出版《中國會走資本主義的道路嗎？》那本小書，肯定地推斷中國會改走市場經濟的路，不僅推中，就是好些細節後來也體現了。當時我用了一年多考查與思考才下筆，而那時中國的情況，雖然複雜，遠比今天的地球政局來得簡單，跟今天我在這裡推斷的，其困難程度不可相提並論。

我把這次講話文稿的主要部分加進這裡作為附錄，是希望同學們知道，不管我對世界今後發展的推斷是對還是錯，經濟學可作這類推斷。如果錯了是因為我對局限掌握不足，回頭再看局限，作事後解釋，還有可為。）

這次講話我要從一九九一年十二月說起。當時波斯灣之戰結束，蘇聯解體，世界看來將會有大變。好友科斯剛好獲得諾貝爾經濟學獎。瑞典的朋友邀請我到那裡，在宴會上替代需要休息的科斯講話。那瑞典之行我遇到弗里德曼夫婦，是深交，幾天的時間大家日夕與共，無所不談。我對弗老說："看來整個地球將會增加約二十億的貧困人口參與國際產出競爭，世界將會出現大變，富裕的國家不作出適當的調整，可能會遇到麻煩。"弗老的回應，是經濟學有一個比較優勢定律，廉價勞力大幅增加當然對富裕的國家有好處，用不着經濟學者操心。理論是這樣說，但我指出先進之邦有工會的問題，有最低工資與福利制度的局限，要獲取比較優勢定律帶來的利益，需要的調校不會是那麼容易。弗老當時不相信這調校會是困難的。事實上，在此之後的十多年，弗老的好友格林斯潘幾次提到，中國的廉價物品進口有助於美國壓低通脹，為中國說了不少好話。這跟今天特朗普總統説的是兩回事了。

一九九一年到今天是過了四分之一個世紀。回頭看，雖然越南、印度等地的經濟是有了起色，但整體來説，整個地球的貧困之邦只有中國可以算得上是走出了一個貧困的局面。儘管二〇〇八年中國引進的新勞動合同法對經濟為禍不淺，但炎黃子孫買起先進之邦的樓房之價是事實，而炎黃子孫所到之處，商店的售貨員紛紛學幾句中語也是事實。今天的中國不僅變為上世紀七十年代的日本，而且是七十年代的十個日本。

中國的經濟究竟有多大

近兩年，西方喜歡稱中國為地球上的第二大經濟。怎樣算法我沒有考究，但以金錢量度這方面看，他們的看法可能不對。大略地看，中國的樓房價格比美國的約高出一倍，而且到處的大廈林立遠比美國的多。另一方面，中國的人口約美國的四倍，沒有種族歧視，而生產力不弱。在這些之上還要加上中國的基礎建設——公路、高鐵等設施——已達一等。報導説今天的中國，每年在國際上的發明專利註冊數量冠於地球。

從人均的金錢收入衡量，中國還遠遜於美國。我曾經指出，人均的金錢收入，以消費者平價算，中國要追上美國遙遙無期。不是不可能，小小的新加坡的人均金錢收入逾美元六萬，高於美國。然而，就算中國能跳升到這個水平，恐怕從實質的收入看中國還有好一段路要走。這是因為比起中國，美國是遠為近於《聖經》説的伊甸園。美國地大人少，風景優美，在生活的享受上市民的消費者盈餘比中國的為高。例如在美國的次級城市，一間擁有無敵海景的花園房子只約美元五十萬，同樣水平的在中國之價要高出十多倍。伊甸園什麼都有，享之不盡，但沒有市值，所以亞當與夏娃沒有一分錢，從我們的世俗看是窮光蛋！這是說，就算以金錢計算的人均收入中國能追上美國，但算進伊甸園那種消費者盈餘中國還輸一大截。

中國自己的伊甸園

從另一個樂觀角度看，中國也有一個美國沒有的伊甸園，只是少人注意罷了。這是中國的古老文化，大可享受。拿着一件出土的古文物在手，我可以自我陶醉一個晚上，不一定比無敵海景差。問題是欣賞無敵海景不需要學過，但要欣賞中國的文化可不是膚淺的學問。

數千年經過無數天才發展而遺留下來的中國文化說不得笑。這些年我欣賞北京的朋友重視自己的文化。據說大大小小的博物館今天的中國有幾千間。但我認為他們處理得不好。政府禁止出土文物在內地出售，這使精美的戰國金屬器皿紛紛在外地的拍賣行出現。我因而建議要讓內地的市場挽留這些文物。另一方面，不親自收藏，中國的文物——不管是出土還是不出土——不容易學得懂。不需要多少錢，我自己從地攤貨的真真假假學得很多。沒有疑問，中國的文物是一個龐大無比的伊甸園，只要博物館辦得好，有可靠的專家指導，展品有故事可說，這個文化伊甸園不亞於無敵海景。

這就帶到我要說的一個重要話題。伊甸園的享受無疑是一項重要的收入，但主要是消費者盈餘，沒有市場，不能算進以市價量度的財富那邊去。這樣看，美國的地價低，中國的地價高，儘管美國的人均享受遠高於中國，要拿出鈔票在國際上揮灑一下，他們卻又鬥不過炎黃子孫。這是習近平先生提出一帶一路這個構思的先決條件了。

知識引進是第一關鍵

不管怎樣衡量，今天回顧，自一九九一年在瑞典我跟弗里德曼暢論世界經濟，距今四分之一個世紀，貧困之邦能殺出重圍的雖然不只一個中國，但說中國先拔頭籌卻無可置疑。我更要指出從一九九三到二〇〇七這十四個年頭，在好些不利的情況下，中國經濟增長的速度之高是人類歷史僅見。朱鎔基先生的貢獻我欣賞，但經濟持續地飆升十多年不可能是一個或一小撮人的功勞。朱總理當年主導的市場合約自由與其他政策當然不可或缺，但還是不足以解釋我們見到的現象。

最近我想到兩個解釋中國現象的關鍵，皆源於與弗老之會的內容再想。其一是比較優勢定律這回事，理論無疑對，但引進沙石這定律的運作不同。大概而言，地球上的資源只有三類。其一是土地（包括地下的礦物），其二是勞力，其三是知識。土地不能移動——不動產是也——其增減對經濟當然有影響，而農產品或礦物的進出口，如果沒有政府管制，會影響他邦的經濟。勞動人口可以走動，但國際之間不容易，而通過國際貿易雖然會帶來比較優勢定律所說的效果，但國際上的勞工法例、最低工資、工會運作等沙石可以大幅地削弱比較優勢定律的運作。

只有第三種資源——知識——在國際間是自由流動的：絕大部分的知識沒有專利保護，就是有也只保十多年，而商業秘密會跟着外資的引進而進，一旦外洩基本上無法收回。我認為中國能先拔頭籌的一個主要原因，是開放改革後外間的知識湧進得快，非常快，而中國的青年也吸收得快。外資當年的湧進帶來的商業與管理知識當然重要，而今天看更為重要的是數碼等科技的發達，湧進中國炎黃子孫學得快，掌握得優越。這裡我們要注意的，是中國本土的市場大，而大市場是數碼商業快速發展的先決條件。

一些西方的朋友認為中國盜用西方的科技發明。這觀點不對：不用盜，不是商業秘密的科技在網上全部可以找到，而商業秘密一旦外洩就成為共用品。我曾經花了美國的國家科學基金不少錢，勞師動眾，研究發明專利與商業秘密的保護與租用合約，可惜幾年的深入研究只寫下一份長報告與發表了一篇關於商業秘密的文章。不管怎樣說，中國要感謝西方科技知識的引進。

另一方面，在文革期間，中國的大學好些課程不能教。這逼使求學的青年偏於數學與工程這些方面。雖然文革是四十多年前的往事，這傳統還在。後來到了江澤民時期，大學的數量急升，到今天每年的大學畢業生七百萬人，懂得處理方程式的中學生所見皆是。也重要的是中國沒有西方那種工會的林立。中國的建築或裝修工人一般是樣樣皆能。是的，在西方，因為工會的左右，水歸水，電歸電，煤氣歸煤氣，泥水歸泥水，木匠歸木匠，不能“撈過界”。

深圳是一個新現象

上述的局限轉變帶來近幾年出現的深圳現象。我歷來認為有朝一日，上海的經濟會超越香港，沒有想到深圳。去年我說兩年後深圳會超越香港，但今天看是已經超越了。再兩年會超越很多！去年我也說再十年深圳會超越硅谷，但今天看不需要十年。華為、騰訊、大疆等有大成的可以不論，但據說搞科技產品的企業深圳有八千家。馬雲也要到深圳來摩拳擦掌！這個城市的人口增長速度遠超昔日香港的難民潮，但我找不到一個可靠的數字。說深圳將會超越硅谷，我們要算進深圳的發展擴張到相鄰的東莞與惠州去。

當然中國還有其他城市的科技產品搞得有看頭，但深圳冠於內地今天沒有疑問。新勞動合同法對科技行業的約束為禍較少，因為這行業的市場工資比較高，在好些方面脫離了該合同法的約束。然而，目前在東莞，因為該法的存在，高與低科技之間出現了一個斷層。

為什麼在科技產出的發展上深圳能捷足先登是個有趣的問題。多個因素無疑存在，而我認為最有趣而又少人注意的，是今天的深圳沒有幾個本地人。全部是外來的，因此完全沒有排外這回事。排外或宗教、種族歧視對經濟發展可以有嚴重的不良影響，而深圳是一個從三十多年前的二十多萬人口升到今天二千多萬的城市。這是非常誇張地重複了百多年前美國西岸因為尋金熱而帶起了舊金山的故事。是的，因為新勞動合同法的引進而變得死氣沉沉的東莞，因為深圳的土地不足而一下子活躍起來了。事實上，東莞一帶的製造業基礎的廣泛性舉世無匹，重要地協助了深圳的科技產品的發展。這是我推斷深圳將會超越硅谷的主要原因。

深圳今天的遠為不足處，是大學不僅太少，水平也不見得高明。另一項嚴重的缺失是文化事項深圳遠遜於上海等地，而那裡的博物館是沒有什麼可觀的。

基建速度高是第二個關鍵

轉論中國先拔頭籌的第二個關鍵，是在勞動力之價低廉的八、九十年代，中國在基礎建設這方面發展得快。就是到了本世紀初期，一個力壯的勞動工人只五美元一天，往往從天未亮操作到天黑。當年我見到這情況感到心酸，今天回顧炎黃子孫要感謝這些人。中國的基建工程不僅興建得快，而且質量愈來愈高，到今天是世界級水平了。高速公路的興建每年可以橫跨美國兩次，而難度甚高的高鐵，約十年建造了二萬三千公里，達地球的百分之六十以上。

都是勞苦大眾的血汗換得的成果，而重要的協助，是中國既沒有西方的工會，也沒有西方的民主投票。這些方面，一九八三年我對北京的朋友力陳不要仿傚西方。這裡的問題是興建得快而又優質的基礎建設不一定是划算的投資。以高鐵為例，算進利息，歸本還是遙遙無期。問題是這類大興土木的投資不能單從金額的支出與回報看。那些所謂外部性對不同地區的地價影響，對人口在不同地區的變動的價值的正或負，原則上也要算進去。大概的衡量也不易，精確不可能。我只能說，大略地看，中國的基建項目很少見到負值。這樣，不論歷史成本，中國的基建項目對將來的發展會有大助。

天下大勢是新三國演義

轉談目前的天下大勢之前，我要先說兩件事。其一是中國今天的經濟情況不好。去年我在這裡提出了十一項改進的建議，皆如石沉大海，而今天的經濟沒有改進。這只是個人之見。其二是論天下大勢不能不提及國際政治，而我對政治是半點也不懂的人。因此，我只能局部地看世界。

今天的地球出現了一個新局面：有三個性格剛強的國家領導人一起存在：俄羅斯的普京、中國的習近平、美國的特朗普。我戲稱世界將會出現的是新三國演義。一位朋友說還有一個菲律賓的杜特爾特，變為四國。我說菲律賓只是一個島，不算。當然是說笑，但一些朋友認為一項大戰可能出現。若如是，我要說的全部作廢。

特朗普的經濟觀有誤

我要先處理一個話題。特朗普總統是一個了不起的商人，他的言論含意着的，是要用做生意的手法來處理國際經濟。這是不對的。做生意在市場競爭，圖利要把對手殺下馬來。但國際貿易呢？要賺對方的錢你要讓對方賺你的錢。特朗普說要抽中國貨百分之四十五的進口稅，但其實這是抽美國消費者的稅。美國會因而有通脹嗎？甚微，因為越南、印度及無數其他落後國家的勞力工資遠比中國低，美國的消費者會轉向質量較低但更為廉價的產品。

美國如果全面大幅提升廉價物品的進口稅，充其量只能讓本土的一小撮現存的出產商人獲利，不會鼓勵新廠的設立。這是因為增加了的進口稅隨時可能撤銷，一個投資者會選擇比較穩定的項目才下注。要是美國真的大抽中國貨的進口稅，中國應該以牙還牙地也大抽美國貨的進口稅嗎？不應該，因為這對中國的消費者與投資者半點好處也沒有。我是主張中國撤銷進口關稅的。在報章上讀到習近平先生的言論，他的主張也是大放外貿。他是主導一帶一路這個構思的人，當然知道開放外貿是這構思的一個需要條件。

特朗普主張杜絕墨西哥人的非法進入。但美國的農業主要是僱用着這些非法進入的墨西哥人。選擇性地讓一些墨西哥人作為農工有所需要，但美國的最低工資要怎樣處理呢？目前中國是美國農產品的最大買家，提升美國農工的工資中國會轉到其他地區購買。地球逐步一體化是大勢所趨，特朗普總統卻要逆流而上。但他是聰明人，可能改變主意。

兩國演義各取一法

論天下大勢，我要從上文提到的新三國演義簡化為兩國演義——美國與中國——因為我對俄羅斯的情況不瞭解。不能説我很瞭解美國與中國，但應該及格。我要從兩個有關鍵性的觀察説起。因為美國與中國的文化很不相同，傳統上這兩個國家的對外邦交的政策有別。

大略而言，美國是以軍事利益的協助來換取他國的友情，而中國則是用經濟利益的協助來換取他國的友情。前者是源於二戰後，美國的軍力與財富皆雄視天下。他們協助了很多國家——尤其是日本——的經濟復甦。但跟着就是恐怕共產制度的擴散而採用軍力輸送到其他國家作防守。今天回顧，上世紀五、六十年代，美國真的很怕共產思維的擴散。

以軍事利益與經濟利益換取國際友情是有着很不相同的局限，期待的回報很不一樣，而二者的持久穩定性也不同。輸送軍事利益換取友情遠為容易，因為只要打通一小撮執政者的關係。但不穩定，因為這一小撮執政者可能被迫下馬或被投票者替換。最近菲律賓的發展就是例子。輸送經濟利益換取友情是遠為困難的事，因為不是只派錢出去，要有投資的回報，而這樣的邦交要有民眾的支持。辦得成功，經濟利益協助的穩定性可以持續，換了國家的頭頭還會持續下去。

美國由盛轉衰源於戰爭

美國是一個非常優越的國家。只二百多年的歷史，他們在科學與文化上的發展是人類的驕傲。然而，很不幸，二戰後選走軍事輸送的路，嚴重地害了他們。想當年，世界警察這個稱呼出現後不久，六十年代他們糊里糊塗地參進了越南戰爭。打了好幾年，導致美國經濟不景逾十年，到里根總統才出現轉機。

越戰後我的兩位朋友——弗里德曼與Walter Oi——成功地

説服美國有關當局放棄徵兵制，轉用傭兵制。當時大家叫好，但今天看卻不一定是那麼好。這是因為在傭兵制下，反對戰爭的學生不存在，政府容易出兵，不需要先有國會批准，可以先斬後奏。該傭兵制的優越性首見於一九九一年的波斯灣之戰，美軍的先進武器驚世駭俗，害得蘇聯要瓦解。可惜該戰後美國對伊拉克的處理讓弗里德曼失望。

傭兵制是一種軍事費用非常高的制度，大戰困難，但小戰卻容易出兵。是在這樣的局限下美國不幸地參與阿富汗與伊拉克之戰。後者對美國的經濟為害甚巨。而跟着的利比亞、敍利亞以及中東亂局是今天更為頭痛的事了。我曾經在一篇題為《恐怖活動的經濟分析》的文章中指出，當一個人認為自己的機會成本是零，憑一夫之勇他可以害很多人。

美國的“世界警察”之譽，十多年前在香港與內地我聽到一些朋友認同，但伊拉克之戰後再沒有聽到。

一帶一路的發展怎樣看

轉談中國今天採用以經濟利益換取他國的友情，是源於中國的古老文化——二千五百年前的春秋戰國滿是這樣的言論。但上文提到，這策略的施行不易。近二百多年，這策略我們只在進入了新世紀才見得明顯，而習近平先生推出一帶一路是明顯地這樣處理。經濟上大事協助他國，友情之外當然還要算投資的回報。這應該是習近平先生堅持經濟不斷開放的原因，因為不開放會是“無帶無路”。

當然，在習先生之前的中國早就以經濟利益換取國際友情。非洲有幾十萬人口住在廣州做生意有不少時日，而習先生大事以經濟利益推廣南美貿易。到浙江的義烏走走，計算一下長住該市的外籍商人，拿得他們的入住時日，應該知道這發展牽涉到的國家的時間表。中國這項重要的以經濟利益換取友情的行為，在新世紀開始後不久就來得明顯了。這是因為中國的地價在二〇〇一年開始急速上升，國家的金錢財富增加，讓一個非伊甸園的經濟有足夠的金錢花出去。

這幾年習近平先生推出的一帶一路需要的金錢更多，夠不夠支持這巨大工程我無法判斷，而收來的回報為何我更沒有資料猜測了。是有意思的思維，但難度高。換取他國的友情不易，因為這裡討好了甲那裡可能開罪了乙。一個馬來西亞的項目，看來是上佳思維，但新加坡因而受損，當然不高興了。地球上只有三塊可以步行而過的大地：澳洲、南北美洲，與歐、亞、非這三洲加起來那塊最龐大的。一帶一路是要把歐、亞、非三洲以經濟合作搞起來，牽涉到的大國小國無數，其難度可想而知。

人民幣推出國際必遇競爭對手

目前我最擔心的，是人民幣的幣值問題。以經濟利益換友情，人民幣能推出國際會有大助。把人民幣推出去不需要有強勢，但一定要幣值穩定。人民幣推出國際本來大有可為，因為有點錢的炎黃子孫滿布天下，給祖宗一個面子是人之常情。然而，人民幣推出國際一定侵犯了其他的國際貨幣——主要是美元——的國家的利益，人家要把人民幣殺下馬來在道德上沒有問題，正如商店之間的同行如敵國，要把對手殺下馬來是合情合理的。人民幣推出國際的成本近於零，一本萬利，但被替代了的他國貨幣卻是被替代多少輸多少。他們怎會視若無睹呢？上世紀七、八十年代，日本嘗試大手把日圓推出國際，不僅不成功，連整個經濟也倒下去，到今天還是一蹶不振。年多前，中國的兩個自貿區試把人民幣推出去，不多久就敗下陣來。可幸國家因而受到的損失不嚴重，還可以再試。我多次為文建議人民幣要下怎麼樣的一個錨才推出去。

沒有戰爭中國勝

回頭說，美國提供軍事利益與中國提供經濟利益換取國際友情，這二者大比併，經濟理論的推斷是只要沒有戰爭，中國終會勝出。這是從帕累托的條件衡量，我想不出怎麼樣的局限會讓軍事利益的輸送勝。利益與友情只有三個可能的組合。其一是中、美兩國皆以經濟利益換友情。這上上之選是斯密與帕累托的均衡，人類大幸。其二是兩國皆以軍事利益換友情，這是下下之選，戰爭變得無日無之，地球危矣。從帕累托那方推理，這下下之選的均衡存在，但要基於一個訊息費用高不可攀的局限。最後是一國推出經濟利益另一國推出軍事利益。這是目前的情況，持續下去不會出現均衡，或者說，我想不出這後者的均衡需要的局限條件。這是說，只要戰爭不出現，從我考慮到的局限推理，假以時日，中國會勝出。

勝出的意思，是說軍事輸送的取向，假以時日，會遭淘汰。不是美國會遭淘汰。這是不淺的經濟學，因為需要中國堅持經濟利益輸送，美國的軍事輸送才會遭淘汰。沒有中國的存在，美國的軍事輸送可以有一個持久的均衡。這不淺的均衡觀有淺顯的一面。好比兩家商業機構競爭，皆提供安全及其他服務，性質不同，雖然宣傳的效果雷同。今天，地球漸趨一體化，客户的數量增加，他們的需求有變，一家機構提供的服務勝出，淘汰了另一家。

是的，如果美國失敗，是敗於恃武凌人。如果中國失敗，是敗於未富先驕——從西方引進的勞動法、社保、反壟斷法、複雜稅制等，皆未富先驕的行為。我們希望美國能儘早改走以經濟利益換友情的路。這樣的競爭才有意思，才過癮，才好看。兩個大國皆如是，地球人類的生活可觀矣。

關稅保護的效果

回頭說美國新上任的總統特朗普的經濟觀，他的主張是採用保護政策來使國家再偉大起來。很一致：建造美、墨之間的圍牆是保護，禁止七個中東國家的人民進入美國是保護，約束美資外流是保護，退出TPP（跨太平洋伙伴關係協定）是保護，大幅提升中國貨的進口稅也是保護。主導了世界開放貿易七十年的美國，在地球漸趨一體化的今天，特朗普卻一反其道而行——他的言論讓我們這樣看。

我不懂政治，也不懷疑某些保護是需要的。這裡我只分析大抽廉價物品的進口稅這項保護政策，因為這方面我的經濟觀有點新意。我要舉上世紀七十年代經濟發展得如日方中的日本為例。當時該國採用的進口關稅保護嚴厲。一九七五年的暑期我造訪東京，見到那裡的高檔次商店，一粒葡萄售價約一美元，一條法國領帶之價與當時非常昂貴的一部彩色電視機之價相若。皆關稅保護之故也。

這裡的有趣觀察，是在外國不回敬反抽的情況下，進口稅或其他有類同效果的保護可使獨自保護的國家的國民收入上升，股市強勁，但從國民的實質享受衡量卻是虛假現象。這不是因為傳統經濟學說的"理想關稅理論"使然——該理論是謬論——而是傳統的糊裡糊塗的國民收入統計使然。有點像我提到過的伊甸園的故事的伸延：亞當與夏娃離開了伊甸園，走進真實世界，實質的享受是減少了，但金錢的收入——今天的國民收入——卻增加。人類的智慧為萬物之靈，但自私的基因還是被訊息費用誤導了。

這裡有一個關鍵問題：源自李嘉圖的比較優勢定律——說專業產出與自由貿易會使所有國家獲利——是真理，不可能錯，但這定律可沒有考慮到通過貨幣來調控經濟與量度國民收入。算物品的產量，李嘉圖無疑對，但引進貨幣，國民收入的增減容易誤導。

日本的不幸經驗可教

故事再說下去，日本的運情不是那麼好。上世紀八十年代後期起，該國的借貸膨脹然後破裂，經濟倒了下去，到今天整整三十年還見不到有明確的起色，是近代人類歷史最持久的經濟不景了。借貸膨脹然後破裂帶來的調整需要長時日，但比日本更嚴重的美國二〇〇七年出現的借貸破裂，約七年就見到起色。我認為日本持續不景三十年，一個主要原因是保護政策帶來的高物價，需要的逐步下調為時甚久。去年一些漫遊日本的朋友說，那裡的物價比中國還要相宜。弄到要推出負利率這項愚蠢玩意，日本應該悔不當初吧。當然，今天特朗普總統主張的保護政策不會像日本當年那樣嚴厲，所以不良效果不會是那麼明顯，但國民收入的上升還會誤導。

這些日子一些朋友說，美國要維持經濟第一大國的位置，問我怎樣看。我說國民收入這類數字很無聊，讓他們高居第一算了。我喜歡引述香港前財政司郭伯偉曾經教我的話。郭老說："史提芬呀，國民收入的統計很無聊，你相信嗎？晚上到灣仔走走，香港的經濟怎樣可一望而知。"

中國今後應走的路

儘管我認為特朗普的保護政策對習近平的一帶一路的推行有助，我的經濟觀還是主張中美雙方全部撤銷所有進出口關稅。就是美方大幅提升中國產品的進口稅，我還是主張中國單方面撤銷所有關税。好比香港，歷來沒有關税，上世紀七十年代以自由貿易知名天下，無論成衣、玩具、手錶等五六項產品的產量皆冠於地球。今天中國的生產實力不是七十年代的香港，而是七十年代的二百個香港！是的，從生產力這方面衡量，炎黃子孫是進入了一個有恃無恐的境界！

不管世界怎樣變，地球一體化將會繼續。只是在過程中牽涉到的局限變化多而複雜，作為經濟學者我無從推斷在這一體化的過程中會出現的枝節。就是只論中國，今天我對國家前景的推斷不能像一九八一年我肯定地推斷中國會改走市場經濟的路那麼準確。當年我能肯定，因為是掌握着兩方面的局限轉變。

今天中國的經濟出現了好些困難，也有些亮點。解決了這些困難，亮點的重心所在，是要把中國的文化與西方的科技結合起來。如果成功地做到，做得好，這會是人類前所未見的光輝。讓地球上的人看得目瞪口呆不是很有意思嗎？北京的朋友顯然知道這是中國發展的重心所在：他們對炎黃子孫的文化與西方科技的重視是清楚明確的。可惜我認為他們辦得不是那麼好。年多前我出版的《科學與文化》那本小書提供了一點意見。

不久前在電視看到一位西方的中文專家評論，説中文比不上英文，在地球一體化之下，有朝一日中文會被英文淘汰。我肯定這位專家的判斷是錯的。我不是什麼語文專家，但中文與英文皆能寫到專業水平的學者不多，而我算自己是一個。客觀地看，如果上蒼只容許中文或英文這二者選其一在地球存在，讓我選擇，我選中文。我只是今天才這樣選，因為昔日中文不能打字，而今天數碼科技讓中文打字比打英文還要快。將來的學者會同意我今天的看法：源於美國電話的實驗室發明的半導體帶來的數碼科技，地球上受益最大的民族是中國人。

參考文獻

J. H. von Thünen, *The Isolated State*, 1826, translated by J. Heinrich, Oxford: Pergamon Press, 1966.

J. S. Mill, *Principles of Political Economy with Some of Their Applications to Social Philosophy*. John W. Parker, 1848.

P. H. Wicksteed, *An Essay on the Co-ordination of the Laws of Distribution*. Macmillan, 1894.

F. Pollock and F. W. Maitland, *The History of English Law before the Time of Edward I*. Cambridge University Press, 1895.

R. H. Coase, "The Nature of the Firm," *Economica*, 1937.

S. N. S. Cheung, *The Theory of Share Tenancy*. University of Chicago Press, 1969.

S. N. S. Cheung, "The Enforcement of Property Rights in Children, and the Marriage Contract," *Economic Journal*, 1972.

D. C. North and R. P. Thomas, "The Rise of The Western World: A New Economic History," *Journal of Modern History*, 1975.

O. E. Williamson, *Markets and Hierarchies*. New York: Free Press, 1975.

S. N. S. Cheung, *Will China Go Capitalist?* Institute of Economic Affairs, 1982.

S. N. S. Cheung, "The Contractual Nature of the Firm," *Journal of Law & Economics*, 1983.

S. N. S. Cheung, "A Simplistic General Equilibrium Theory of Corruption," *Contemporary Economic Policy*, 1996.

Y. Barzel, *A Theory of the State*. Cambridge University Press, 2002.

貨幣的用途是協助貿易，其主旨是幣值要穩定才可以協助得好。我們不要一石二鳥，一方面以幣值穩定來協助貿易另一方面以調校利息率與貨幣量來調控經濟。

第三章：經濟調控與貨幣制度

說到國家，我們要順便談貨幣。貨幣的存在是為了減低市場交易的費用。從中國出土的文物我們知道，貨幣在盤古初開就出現了。沒有足夠的資料追溯那麼久，但從幾百年來的歷史看，以金屬作為貨幣本位，多個國家可以一起採用同一種，或同幾種。然而，脫離了金屬本位，用紙幣，同一個國家可以幾種貨幣不同，而不同國家通常是各有各的貨幣的。

上世紀九十年代我的好友蒙代爾成功地說服歐洲好些國家採用同一貨幣，稱歐元。我的另一位好友弗里德曼反對，認為不同的國家要有各自不同的貨幣政策。這兩位朋友當年吵得熱鬧。歐元一九九九年初推出，有一段時期相當成功，但二〇〇八年美國出現金融風暴後，擴散到歐洲去，共用歐元就變得麻煩了。弗里德曼終於勝出，可惜是在他謝世之後。歐元在金融風暴後出現了問題，因為一些使用歐元的國家要有自己的貨幣政策來調控經濟，而這是統一了的歐元不容許的。

在金融風暴出現之前，大約二〇〇六年，蒙代爾希望整個亞洲能採用同一貨幣，即是來一個亞元區了。我對他說整個亞洲採用人民幣會較好，因為當時中國的經濟發展來得穩定，人民幣有強勢。蒙兄的意思，是希望有朝一日，整個地球採用同一貨幣。從穩定國際幣值、減低國際交易費用這些方面看，這想法應該對，因為在昔日的金屬本位制下，整個地球有過一段頗長的可取貨幣時日，而不用金屬作本位可以解決金屬不足或金屬本身的市價大幅波動的問題。然而，不同國家的政治問題不容易處理，加上不同國家要爭取自己以貨幣政策調控經濟的權力，地球貨幣一體化顯然難以成事。

地球貨幣一體化是可以減低國際上的交易費用的。事實上，我們不難想出其他處理經濟的法門可以減低交易費用。但人類的自私不容許這樣的爭取。我說過，有朝一日人類可能毀滅自己。我也說過，這自我毀滅的傾向要從租值消散那方面看。租值消散是社會或制度費用，屬交易費用的廣義概念了。

讓我先從政府處理經濟的幾方面說起吧。

第一節：政府管治經濟的四方面

儘管當年我受訓於兩家高舉私產與市場的少林寺，我不是個信奉無政府主義的人。政府參與經濟活動牽涉到四方面。

政府約束局限

第一方面是政府約束或調校競爭的局限，例如釐定法例、監管治安、界定權利、管制市場，等等。這些政府操作帶來的效果孰優孰劣是價值觀的問題，但為什麼會出現我們見到的政策與這些政策會帶來什麼效果，卻是經濟解釋的範疇。後者，我在《經濟解釋》處理得全面、深入，而主要的貢獻是頻頻引進交易費用，牽涉到的好些話題要不是前人沒有分析過，就是處理得不妥。在需求定律、成本概念與競爭含意這三方面我反復陳述，花上的筆墨遠比前人多。過程中的每一步我都忠實地指出思想的來源，應該說的感謝的話沒有忽略過一次。

政府主導投資

第二方面是政府主導某些項目的投資，例如基建、水電、地區發展等項目。這些政府插手的事項，高舉自由市場的學者往往反對，但在中國改革的過程中不難見到有可取的效果。無可置疑，因為交易費用的存在，好些投資事項由政府主導可以節省這些費用。從經濟效益那方面看，這裡的要點是政府要懂得辨到哪個層面放手，交給市場。這要點，數十年來中國的地方政府是辦得及格的。

政府操作財政

第三方面的政府經濟操作，是財政政策。這方面經濟學者屢有爭議的原因，是源於上世紀三十年代的經濟大蕭條帶來了凱恩斯學派。這學派起自哈佛的漢森等人與薩繆爾森的暢銷天下的課本。政府花錢帶來的乘數效應思維曾經有廣泛的影響。政治人物與利益團體偏於接受，因為有錢可花會增加政府的權力，利益團體會得益。然而，我指出，投資與儲蓄是同一回事，只是在不同的經濟環境下投資項目的選擇會帶來不同的生產效果。

二〇〇八年美國出現金融風暴，沉寂了好些時日的凱恩斯學派再抬頭。二〇〇九年美國政府大手推出花錢措施，得到的效果剛好是零。看來該學派今後不容易翻身了。凱恩斯是個多才多藝的人。我的一位朋友寫了一本把他捧到天上去的名著，說凱恩斯學派的經濟學與凱氏本人的經濟學是兩回事。可惜我讀不懂凱氏的《通論》，不敢妄下評語。在那所謂凱氏學派的學問上，我作出了兩項貢獻。其一是站在費雪那邊，指出投資與儲蓄是同一回事，而投資會否帶來產出及產出的或大或小要看經濟環境的變化。其二是指出租與稅不同，可以鑑別，政府抽稅與政府收租會有不同的效果，而經濟學者往往把這二者混淆起來。

政府處理貨幣

轉到政府參與經濟活動的第四方面，是本章要說的關於貨幣制度及貨幣政策這些方面了。哈耶克曾經建議貨幣與銀行最好讓私營操作，政府不要管。弗里德曼不同意。其實沒有政府監管的私營銀行（稱錢莊）在中國的明清時代（或更早）盛行，有幾段時期辦得妥當。可惜政府見有巨利可圖，頻頻插手，貪污錢派之不盡。我希望一些同學能詳盡地考查昔日神州大地的私營錢莊的發展與後來的失敗。應該是個難度高的論文題目，但處理得好會是重要的貢獻。

第二節：經濟波動沒有周期

商業周期（business cycle）又譯經濟周期。其實cycle（周期）一詞誤導，因為那是指上落的波動在時間上有規律（regularity）。這不對。經濟有上有落自古皆然，中國人說好景不常，但有規律的波動圖案是沒有的。

中國開放改革三十多年見不到經濟出現過有規律的上落。可能因為這樣，二〇一三年林毅夫與厲以寧說中國的經濟增長"保八"二、三十年沒有問題。我當然希望他們對，也認為原則上可以，因為中國還有很大的發展空間與潛力。無奈政策失誤頻，統計數字問號多，林、厲二兄看來是過於樂觀了。二〇〇八年初中國推出新《勞動合同法》，兩個月後見到北京真的推行，我立刻為文說中國的可觀經濟增長只有二十九年，不到三十。見到局限轉變來作推斷是經濟科學。

農業與工商業有別

商業周期是指經濟整體出現的上落波動有圖案規律，其實沒有。可能曾經有，因為關於這"周期"的討論十八世紀就在歐洲出現了。我的猜測，是歐洲當時的經濟主要是農業，而農業因為天氣的好壞變動會出現豐收與歉收，不難導致彷彿有規律性的經濟波動。中國的古老傳統是以年份預測天氣的變動，有周期。西方呢？經濟學大師 Stanley Jevons（1835-1882）曾經提出太陽黑子（sunspot）來解釋商業周期，因為察覺到有幾次太陽黑子的出現，皆與農業歉收吻合。本科生時老師把 Jevons 的黑子理論當作笑話，但進了研究院我知道英年早逝的 Jevons 的天賦是說不得笑的。

以農業為主的經濟有上落的波動——甚至有規律的波動——不難解釋，但以工、商業為主的不應該有。沒有時間規律的經濟上落先進之邦也常見，應該是人為的政策失誤使然，包括國際上的政治久不久發一下神經。

弗老之見要補充

從弗里德曼的高見說起吧。學富五車的弗老認為貨幣政策的嚴重失誤是上世紀三十年代美國出現經濟大蕭條的主要原因。另一方面，還健在的高人盧卡斯則認為貨幣量的變動不足以為禍經濟。幣量的大升或大降會導致通脹或通縮是老生常談，問題是會否給經濟帶來大禍。支持“大禍”的實例我想到起自一八五〇年太平天國的經驗。一八四〇年的鴉片戰爭後，鴉片進口中國急升，導致當時作為貨幣的銀兩大量外流，通縮出現，政府徵稅減得不夠多，農民起義，死人三千萬。

弗里德曼在他與一位女士合著的《美國貨幣史》中對大蕭條的分析非常詳盡、精湛，讓我不懷疑當時美國的聯儲局在貨幣政策上有嚴重的失誤。然而，有三個原因我懷疑弗老可能過於重視貨幣政策。

第一個原因是希克斯（John Hicks）曾經對我說，當年的大蕭條惹來舉世出現保護主義，使國際貿易大跌，是大蕭條持續很久的主要原因。究竟什麼是主要原因很難說，但當時舉世出現保護主義與國際貿易大跌是事實，而國際貿易對經濟有大助也是事實。

信貸膨脹是大麻煩

第二個我認為弗老可能過於重視貨幣政策的原因，是費雪當時提出的解釋大蕭條的"負債通縮理論"（Debt-Deflation Theory）。這理論當時沒有人注意，但今天有了日本八十年代後期的經驗與美國及歐洲二〇〇八年出現的金融風暴的經驗，費雪之見我們要再考慮了。該理論說，如果國民負債多而經濟遇上通縮，有合約規定的實質利息率急升，在財富急跌的情況下國民無從還債，破產累累，是以為難。

費雪可沒有把信貸大幅膨脹（credit expansion）走在前頭作為重點。這就帶到我在卷三第一章第六節的重要分析，說信貸大幅膨脹，然後破裂，可以嚴重地誤導，使經濟下降後翻身甚難。這是我認為弗老可能忽略了的第三個原因。

日本八十年代有信貸大幅膨脹，泡沫出現後到今天二十八年也不能翻身。美國一九二九年應該有信貸大幅膨脹，然後破裂，但我沒有資料。美國二〇〇八年的經驗是信貸在事前上升了兩倍多，然後破裂，八年後的今天略見好轉，但還算不上是真的翻身了。要注意，我不是看經濟下降了多少來衡量大蕭條，而是從經濟下降後歷久不振的時日看。我在卷三第一章第六節提出的算是新的大蕭條理論，是從費雪的簡單方程式入手，但把這方程式倒轉過來看，得到的信貸膨脹然後破裂帶來的誤導作解釋。因為是個新觀點，我不敢肯定是對，但那是我可以想到的唯一的"歷久不振"的解釋。

經濟波動的來由

總的來説，我認為沒有商業周期這回事。一個以農業為主的經濟可能有，但我沒有見過有説服力的證據。經濟波動當然有，市場與非市場的經濟皆會出現，但沒有“周期”。

市場的波動不僅常有，且往往需要。市場調校資源的使用要靠市價波動的指引。然而，不幸地，市場可能發一下神經。信奉市場近於無所不能（一笑）的弗里德曼是我多年的深交，在我的質疑下同意市場久不久會發一下神經。不多見，昔日出現於荷蘭的“鬱金香危機”是一例，香港一九七五年股市從一千七百點暴跌至一百二十點也是一例。

到今天我們還沒有什麼理論可以解釋或推斷這些像牛群直覺（herd instinct）帶來的大幅波動，而那些所謂泡沫理論一律是空中樓閣，説故事。如果經濟學真的有一個可靠的泡沫理論，只要有一小點説得上是大概地對，經濟學者早就發了達！

我們要注意，像牛群直覺帶來的大幅波動，人類歷史沒有見過嚴重地損害了經濟整體的例子。政府政策失誤帶來的經濟下跌，歷史的經驗多的是，而每次出現皆不容易翻身。昔日香港二戰後的樓宇租金管制，美國上世紀七十年代初期推出的價格管制，中國二〇〇八年推出的勞動合約管制，帶來災難性的效果明顯，但政府皆歷久不撤銷管制。

為什麼不撤呢？我沒有解釋，但一九七五年我發表的一篇關於二戰前在香港推出的租金管制的文章，在結語中，有如下的評語：

“我們或可猜測在立法程序中承認錯失會比市場來得有效。這裡的答案是負面的。我搜查了香港從一九二一到一九七二的立法檔案，公開認錯的只有港督 Stubbs 一個人。認錯的人要面對他的人身資產的所值下降，而除非遇上一些特殊情況他不會有什麼利益。這些特殊情況在香港的立法過程中是不存在的。”

源於貨幣問題的波動最麻煩

貨幣的存在是為了協助交易，其幣值的穩定性無疑是經濟運作中的一個重要環節。這是淺道理。從出土的文物中，我們知道中國古時就重視貨幣幣值的穩定。然而，要穩定幣值不是那麼容易。從近代歷史看，我曾經指出在鴉片戰爭之後，中國的銀兩外流過甚，導致通縮與太平天國的動亂。國民黨時期推出的關金、銀圓券、金圓券等貨幣，雖說有金屬本位的支持，但政府言而無信，其貶值之速——尤其是金圓券——可能破了世界紀錄。然而，貨幣永遠是那麼重要，那麼不可或缺。記得二戰在廣西逃難時，我見到一紙十圓鈔票撕開為二，每半紙作五圓在市場流通。要怎樣穩定幣值是經濟學老生常談的話題，可惜這話題從我就讀經濟的一九五九年一直吵到今天。

第三節：四種貨幣制度

在人類歷史上貨幣制度出現過四種。可能還有其他的，但我不是貨幣歷史的專家，只是機緣巧合地學得一些。過後我會提出第五種貨幣制度，是自己想出來的，地球上沒有出現過。先談四種吧——只能略談，因為貨幣制度是複雜學問，不是我專注的。

一、金屬本位制

這本位制是指金本位或銀本位，而昔日中國用的銅錢是銅本位了。可以統稱為金屬本位制。這是故老相傳的制度，很多地方用過，而從出土的文物看，中國很早就有了。

嚴格來說，金屬本身值錢，可以歷久不變，而金屬本身的市值，加上鑄幣的成本，就是幣值。當然有欺騙的行為：在明、清時期的中國，進口的銀幣，同樣重量，比本土鑄造的值多一點錢。私營的錢莊可以發行，價值最高的流通貨幣是元寶。有說元寶起於元代。這不對。我見過唐代的元寶。一般所見，銀元寶是純度相當高的銀，但金的可能只是包金或鎏金。我認為不是瞞騙，因為鎏金或包金不難辨識。中國清代用的貨幣主要是銀，其產地主要是當時屬於西班牙的墨西哥，要通過英國和西班牙運到中國來。這可見當時的銀兩作為貨幣對中國很重要。

某些市場交易因為銀兩攜帶不便，錢莊或銀號會用憑券替代。我不懷疑當時的錢莊借出去的錢遠多於錢莊擁有的金或銀。信譽當然重要。那所謂"老字號"很值錢。用不着多拿出真金白銀，辦得成功是一本萬利的生意，政府眼紅，要敲詐，時有所聞。

到了民國時期，銀號或錢莊被政府或跟政府有關連的銀行取代了。後來民國時期政府推出的關金、銀圓券、金圓券等貨幣，還是以金或銀作本位，可惜一律是騙局。最明顯是關金，鈔票上用英文印着多少個金單位，但卻沒有說一個單位是多少金。其實每次推出一種新貨幣時，國民政府都公布每元是多少銀或多少金。每次都騙到一點錢，雖然到了金圓券再沒有多少人相信，害得國民黨要逃到台灣去。

金屬本位制是有可取之處的。歐洲的歷史滿是金屬本位的故事。就是今天，好些西方經濟學者還希望能回復到昔日的金屬本位制那邊去。這可見以穩定物價來協助市場貿易是多麼重要。然而，騙局不論，昔日的本位制是有着兩方面不容易處理的困難。其一是金屬本身的市價波動會直接地影響市場物價的波動，無從拆解。其二是一旦出現用作貨幣的金屬供應量不足，會導致經濟蕭條。我在上文提及的中國銀兩外流導致的太平天國的動亂是其中一個例子。

這就帶到金屬本位制最重要的一點。即是在這本位制下，政府無從推出貨幣政策來調控經濟。市場有多少有關的金屬，其市值為何，皆由市場決定，政府無從調校貨幣量，而調校利息率就成為價格管制了。不要忘記利率是一個價，雖然今天在好些國家採用的無錨貨幣制度下，政府調校貨幣量或利息率屬貨幣政策，算不上是價格管制。

二、鈔票局調控制

這是香港今天採用的貨幣制度，他們稱聯繫匯率制，即是以七點八港元兑一美元這個固定匯率掛鈎。香港一九七一年之前也採用此制，與英鎊掛鈎，一九八三年十月再採用，鈎着的是美元。一九八八年三月九日我發表《聯繫匯率的困擾》(見《貨幣戰略論》)，解釋過這制度。這裡只略説。

其實應該稱為鈔票局（currency board）制度，是多年前英國的發明，為他們的殖民地採用，鈎着英鎊而為殖民地的貨幣穩定着幣值。一九八三年香港因為要回歸中國的問題引起經濟大波動，財政司彭勵治考慮再採用鈔票局時不便與英鎊掛鈎，選鈎美元，跟我討論了幾次。初時我反對，但後來跟弗里德曼討論後，又得到撒切爾夫人的顧問 Alan Walters 的解釋，明白彭老為什麼要這樣做。其實這是個彈性相當高的貨幣掛鈎制度。彭老推行該制的前三天，叫我趕急去見他。我平生沒有遇到更為簡短的會談。見面時彭老問："目前港元的市價是八元二角兑一美元，我打算以七元二角兑一美元掛鈎，你怎樣看？”我想了一陣，説：“那是太低了吧，高一點比較安全。”就這樣，他不要我再説，讓我離開。他選用七點八後，對我説因為香港人喜歡那個“八”字！這可見選哪個匯率掛鈎是有着相當大的彈性——鈔票局的調校機能使然也。

“鈔票局”是一個聰明、巧妙的貨幣制度，其主旨是通過港幣的鈔票（currency）量的自動增減來調控總港幣量的增減。港幣總量下降得夠低，港元兑美元的匯率會上升。港幣總量上升得夠高，港元兑美元的匯率會下降。前者的壓力是壓上，後者的壓力是壓落。港元的鈔票量只約港幣總量的十分之一，一個用戶不相信港元，到銀行按七點八提取美元就是。銀行當然要有美鈔在手，但不需要很多，因為客戶通常會把美鈔再存進銀行去。這樣通過美鈔的提取與存進，港元的貨幣總量會下降，美元的銀行存款會上升，而港元的總量下降得夠多，其幣值的強度會增加，因而維護着那七點八的匯率。如果提取美元過急，港元的短期利率會立刻抽升來阻慢美元的提取。

原則上，推到盡頭整個香港的貨幣會全部轉用美元。重點是要有足夠的美元鈔票協助周轉調校，不需要很多，因為鈔票的使用量通常只約貨幣總量的十分之一，何況提取的美鈔會被再放進銀行去。要是美鈔大量離境，或被儲藏起來，那麼政府當局要設法從外間引進美鈔。這個貨幣制度的主旨，是通過一種外地的鈔票與銀行的運作，把本地的貨幣量調高或調低，從而維護本土貨幣與掛鈎的外幣的匯率。

一九八三年十月香港推出與美元掛鈎的聯繫匯率後，港幣的總量下降，初時降得急，跟着降勢轉慢，約四個月後止降回升。我立刻去信彭勵治，對他説港元的危機已過。他非常高興。是那麼好的一位財政司，三年後受不了利益團體的左右，辭職不幹。

上述可見，鈔票局這個貨幣制度也是不能採用貨幣政策來調控經濟的。與美元掛鈎，利息率要跟着美國的走，而港幣量的增減是為調校既定的掛了鈎的匯率而自動地轉變的。事實上，鈔票局貨幣制要沒有中央銀行才運作得好。當年我受邀參與其事，香港二戰後的財政司郭伯偉贊同鈔票局，對我解釋時說明沒有中央銀行是重點。他說早年在香港處理這鈔票局時，僅要用兩個不是全職的人。至於今天香港的金融管理局搞得那樣龐大，是我所知的學問之外的話題了。

三、固定匯率制

上述的鈔票局與聯繫匯率制度可不是匯率管制，因為後者一律牽涉到管制外匯出口。在鈔票局的制度下，外匯可以自由進出口。管制匯率經濟學者一般不能接受，而反對得最激烈的大師是弗里德曼。當年我有點奇怪為什麼弗老歷來堅持要讓匯率自由浮動，卻贊同香港採用鈔票局的聯繫匯率。他向我解釋了這二者不是同一回事。

後來朱鎔基在一九九四年一月一日推出的匯率管制，明顯地附帶着管制外匯出口，弗老當然反對，認為會是大禍，我也跟着反對，但過了約三年我認為朱老做得對，公開認錯。

是的，一九九三中國人民幣兑美元的匯率非常混亂，有官價的五點四兑一美元，有雙軌的八點六一九兑一美元，而當時最高的黑市達十一點七兑一美元。朱鎔基在一九九四年一月一日推出的是八點二七兑一美元，而這官價匯率維持到二〇〇五年七月二十一日，由總理溫家寶略為調升至八點一一兑一美元。弗里德曼和我認識的經濟學者會説這樣的匯率管制與一起執行的外匯管制會是災難性。然而，在朱鎔基的策劃下卻給中國帶來人類歷史前所未見的經濟高速增長！

究竟發生着些什麼事呢？今天回顧，解釋是清楚的。有三點。其一，朱鎔基是個非常精明的人。其二，我在一九九三年五月二十一日發表《權力引起的通貨膨脹》，指出當時無法控制的通脹是源於高幹子弟的權力借貸。朱鎔基該年七月一日接掌央行後，立刻剷除這種借貸，加上他對人民幣的貨幣量控制得宜（有一段時期是按着外匯的進口量以固定了的匯率增加人民幣的量），高於百分之二十的通脹在三年間下降至零。其三，當時的中國還有很多方面需要改革或改進，而所有政策改進的措施皆協助維護朱鎔基要堅守的匯率，約五年後人民幣的黑市匯率大致與官價看齊，到二〇〇三年朱總理任滿時人民幣兑美元的官價有上升的壓力了。是的，二〇〇二年二月二十日我發表《以中國青年為本位的金融制度》，其中提到人民幣將會是二十一世紀的國際強幣。跟着二〇〇三年三月十一日我發表《令人羨慕的困境——朱鎔基退休有感》，其中提到不出兩年，外國要求人民幣升值的壓力將會很大。後來這壓力不需要等兩年，只幾個月後就有兩位美國議員大叫大嚷了。我對自己這些推斷是很滿意的。尤其是，當人民幣的黑市匯率還是弱於官價匯率之際，我就作出這些推斷。

朱總理做了些什麼呢？一、上文説過的，他大手約束高幹子弟以權力借貸，使百分之二十強的通脹率在三年間下降為零，然後轉向負三強的通縮。二、可以不管的他一律不管，市場的合約自由是我平生僅見。三、一九九四年初他推出全國劃一的增值税，促成的中國獨有的縣際競爭制度。四、他讓人口自由流動，幾年之間工作年齡的農民四個有三個轉到工商業去。五、二〇〇〇年中國的地價開始上升，容許地方政府把國營的企業連土地出售，有足夠的錢遣散國家職工，民營的企業紛紛出現。六、在此同時，中國進入了世貿組織。說實話，我認為跟朱總理同期的美國聯儲主席格林斯潘也幫了中國一個忙：人民幣鈎着美元那段日子美元在國際上的幣值是歷史上最穩定的，而格老幾次為中國的廉價貨出口美國說話。

沒有上述的調整與協助，固定匯率與外匯管制的貨幣制度會是災難性。中國今天再沒有朱總理當年的彈性調校的空間了。

回頭再說貨幣政策——以調校利息率或貨幣量來調控經濟——這個話題，金屬本位制不能用，鈔票局制不能用，朱總理的方法則是倒轉過來，以調控經濟來維護匯率與挽救人民幣當時的弱勢，不是以貨幣政策來調控經濟。

四、無錨貨幣制

無錨貨幣英語稱 fiat money，即是今天美國及一些先進國家採用的貨幣制度。中國二〇〇五年起人民幣所下之錨屢有變動，不像朱鎔基那個時期的堅守。而錨變得若有若無了。西方的壓力是其中一個原因。近幾年，人民幣是近於無錨貨幣了。貨幣政策——調控利息率與貨幣量——今天中國的央行頻頻採用，是無錨貨幣制度的證據。說有錨但其實無錨，國民黨當年就是那樣明目張膽地欺騙。今天北京的央行當然不騙，但用匯率守錨可不是那麼容易。

我的觀點簡單明確，凡是用上貨幣政策來調控經濟的，不是一個下了固定的錨的貨幣制度。這其中含意着一個簡單而又重要的哲理。貨幣的用途是協助貿易，其主旨是幣值要穩定才可以協助得好。我們不要一石二鳥，一方面以幣值穩定來協助貿易另一方面以調校利息率與貨幣量來調控經濟。不是說絕對不可能成功地一石二鳥：在無錨的貨幣制度下，美國曾經有過幾次不俗的一石二鳥的片段。然而，一方面要穩定幣值另一方面要調控經濟，闖禍的情況不僅容易出現，而且闖大禍的機會不小。

以我比較熟識的美國為例，我見過兩次源於無錨貨幣惹來的大禍。其一是上世紀七十年代越戰之後，為期三十年的美國債券的孳息率被擠高達十九厘以上，而十多厘高企了好幾年，導致那裡的經濟不景逾十年。當然有人說那段時期的經濟悲劇是源於政府推出價格管制，但該管制是源於貨幣政策失誤，導致高通脹，而價管撤消後利率還持續高企好幾年。

第二個悲劇性的例子當然是二〇〇八年在美國出現的金融風暴了。當時格林斯潘已在聯儲主席之位下馬，但識者一致認為該風暴是格老惹來的禍。我曾經考查過該風暴的資料，發現二〇〇八之前美國的借貸膨脹非常嚴重，是否聯儲之過很難說，但格林斯潘作主席時，把利率多次調校，轆上轆落，終於轆錯了節奏卻是明顯的。弗里德曼是貨幣理論的一代宗師。他幾番對我說格林斯潘是美國歷史上最好的聯儲主席，也闖大禍收場，無錨貨幣的優越性應該滿是問號吧。

幣量調控難見原則

美國二〇〇八年出現金融風暴，那裡的貨幣調控帶來的效果也使我看得天旋地轉。聯儲大事放寬貨幣量達六年之久，二〇一四年我見到那裡的三十年債券的孳息率上升到三點五厘，以為終於能搞起一點通脹了，債券的高價應該開始下跌。很不幸，我誤導了一些朋友。我沒有預料到二〇一六年六月該三十年債券的孳息率又下降到二點五。基本上，該孳息率是說美國的市場預期今後三十年那裡的通脹率是近於零。可能嗎？

弗里德曼當年曾幾番對我說，通脹率在百分之二至五對經濟有利。聯儲的人馬，尤其是已經離職的伯南克，是弗老的敬仰者，當然知道二至五通脹這個弗老提出的黃金定律。若如是，聯儲應該見到三十年債券的孳息率上升到五厘（預期通脹約三厘）才考慮加息或收緊銀根。然而，二〇一五年三十年的美國債券顯示，預期的通脹率約一厘，聯儲就開始加息了。當然，聯儲可能未雨綢繆，但那是憑什麼準則從事的呢？當然不敢說我比他們知得多，但不同的頂級專家的看法有那麼大的差別，不應該是經濟科學可以接受的。

國際戰亂有利美元

還有另一個嚴重問題。一九九五年，我的一位專於貨幣研究的師兄（Alan Meltzer，名家也）到香港跟我會面。大家談起美國的貨幣政策，他說幾年來那裡的聯儲大幅提升了貨幣的供應量，但通脹卻毫無起色。他的觀點是當時美元在國際上強勁，所以美國本土沒有通脹。這觀點應該對。好比今天（二〇一六）中東一帶搞得一團糟，是亂局，美元當然強勁，美國搞不起通脹不難理解。要是一旦天下太平，增加了那麼多的貨幣供應量要怎樣才能收拾波濤洶湧的通脹出現呢？美國的社保已近於破產，而通脹急升一定破，難道美國要到處生事來維護美元的強勢嗎？

以貨幣政策來調控經濟大約起於上世紀五十年代後期，其主要的倡導者是芝加哥大學的弗里德曼。死對頭（一笑）是麻省理工的薩繆爾森。後者屬凱恩斯學派。弗、薩二人的大辯論是二十世紀經濟學的佳話了。凱恩斯學派在基礎上言不成理我指出過了。今天看，算得上的邏輯可觀的貨幣學派也是有着無從解決的困難。

我們知道，用貨幣政策來調控經濟，其主要理論基礎是一個幣量理論（Quantity Theory）。這理論起自斯密之前的休謨，到上世紀三十年代由耶魯大學的天才費雪精闢地發揚。到六十年代弗里德曼的再闡釋是達到大成之境了。幣量理論不是什麼空中樓閣，而是一門關於真實世界的學問，其驗證研究之多，遠超於經濟學的任何其他話題。然而，今天該理論也頻頻失誤，發生了些什麼事呢？

幣量難算理論失靈

我認為幣量理論對物價變動的推斷今天頻頻失誤，是因為我們愈來愈不知道什麼是貨幣，或幣量應該怎樣算才對。我不懷疑在金屬本位制度的年代，幣量理論對物價變動的推斷很準確。到了一九四五年推出由凱恩斯建議的布雷頓森林貨幣體系，大致上該理論還可取。然而，以三十五美元一盎司金價不變到一九七一年布雷頓森林解體的二十六年中，因為市場的金價上升了不少，國與國之間的央行以三十五美元一盎司之價釐定的協議就顯得不可靠了。幣量理論對物價變動的推斷開始有問號，而在一九七一年布雷頓森林瓦解之後這問號變得愈來愈複雜。從一九八二年到弗里德曼謝世的二○○六，弗老對美國通脹的推斷差不多沒有對過一次！

一九八八年的秋天我帶弗老到北京會見總書記時，因為通脹是大話題，大家日夕研討，我對他說：今天的科技通訊跟昔日的不同，龐大的款項交收，不管是一國之內或是國際之間，不到一分鐘就處理好了。你怎樣算貨幣量呢？他沒有回應。二○一四在北京，我跟在貨幣話題上與弗老不和的蒙代爾提到因為科技發達我們無從算貨幣幣量之見，他叫出聲來，問：你是什麼時候看到這要點呢？我回應：一九八八年在北京跟米爾頓說了，看到應該還要早幾年。今天看還有另一個有趣的問題：

二〇一五年十一月十一日，中國有一家網上銷售機構，只一天其物品的成交量達一百四十億美元。這是沒有通過銀行的交收款項，不知弗里德曼會怎樣算？

一石二鳥是過於樂觀了

是的，貨幣的主要用場是協助交易，不應該一石二鳥地也用貨幣政策來調控經濟。然而，在無錨貨幣的制度下，貨幣政策往往逼着要用。如此一來，從美國的經驗可見，央行或聯儲會變得有很大的權力，不僅關於貨幣政策，差不多所有經濟問題皆涉及。昔日格林斯潘不僅掌握着美國經濟的話事權力，他的一舉一動整個地球都重視。可幸格老是個學者，也是個謙謙君子，論事客觀，不容易受到利益團體的左右。這個我歷來敬仰的人也闖禍收場。

弗老當年的觀點，是一個大國難以採用一個小國可以用的鈔票局下錨制度。貨幣既然沒有錨，為了維護物價的平穩，調控利息率或貨幣量的貨幣政策不能不用。我的師兄 Meltzer 建議的調控銀根（base money）曾經在歐美盛行過一段日子，後來顯然遇到困難，到格林斯潘就轉用調控利率。弗老初時不同意，後來卻不反對。大家都知道以貨幣政策調控經濟，央行或聯儲會有很大的權力。可幸我認識的或知道的英國央行及美國聯儲的幾位關鍵人物都不是權力慾強的人。國家政府上頭呢？他們知道貨幣量的調升可以協助他們急時之需，也知道搞起通脹是一種間接稅。一個政府應不應該有這樣的權力，我沒有答案。

這裡的關鍵問題是貨幣的主要用場一定是為了協助市場貿易。我的觀點是除非遇到戰亂貨幣不應該用作其他用途。換言之，一石既然不能殺二鳥，集中於維護物價平穩是正着。

第四節：以物價指數為錨

如果一個國家願意放棄以貨幣政策調控經濟，即是純從協助貿易的角度來發行貨幣，那麼一個近於十全十美的貨幣制度不難推出。這是第五種。我在二○○三年想出來，解釋過多次，沒有誰提出過有什麼不妥的理由。我認為到今天這建議還沒有被採用，主要是因為弗里德曼不反對的無錨貨幣制在好些國家施行了幾十年，其中引進了以貨幣政策調控經濟，增加了央行左右經濟的權力，而一些先進之邦把貨幣政策的調控織進了他們的經濟制度，因而難以採用我建議的。中國到今天還沒有把貨幣政策的調控織進他們的經濟制度，原則上可以採用我建議的，但沒有。

一個令我感到困擾的問題，是二○一三年北京說要讓利息率自由浮動，讓我高興一下。我在下文建議的貨幣下錨制度可讓利率自由浮動，而無錨貨幣制通常是不能讓利率自由浮動的。用貨幣政策來調控經濟，不能純真地讓利率自由浮動。像香港採用的鈔票局制度不能採用貨幣政策來調控經濟，利率會浮動，但主要是跟着美國的利率變動走。純真的利率自由浮動是昔日的金屬本位制。我在本節建議的下錨制度不僅可讓利率自由浮動，而且是需要的。

我建議的下錨制度不是什麼偉大的發明，而是把昔日的金屬本位制改變一下，讓我從頭說起吧。

說到貨幣，我不能不提到自己的深交弗里德曼。他是古往今來對各種貨幣制度研究得最深入的人。他和我的交往如兄長與小弟，關於貨幣的問題我老是問他，他一定細心解釋。

我知道除了金屬之量可能出現不足與金屬的市價變動——這二者皆對金屬本位制不利——弗老認為金屬本位制是最可取

的貨幣制度。這觀點，經濟學行內的看法是相當一致的。大約一九九〇年，中國的通貨膨脹開始轉劇，國家面對的形勢非常不妙。我幾番求教於弗老。當時我沒有想到朱鎔基後來推出的以美元掛鈎然後利用經濟調校這個後來證實是成功的方法。今天的中國再沒有這些彈性調校了。

一九九〇年我問弗老：用一籃子物品作為貨幣之錨不是可以解決上述的金屬本位的兩大困難嗎？細想後他認為原則上可以，但儲存物品的成本太高，不合算。過了幾年，我跟進了朱總理的貨幣處理時，突然想到，以一籃子物品的物價指數作為貨幣之錨，政府根本不需要儲存任何物品——市場本身就是一個巨大無比的倉庫。考慮如下十點吧：

（一）選擇大約三十種市場有價的物品，皆屬比較容易在期貨市場交易的。能成期市的物品歷來只有二三十種，選其中的大約十種，要指明是在哪個期市的。此外，選一些原則上可成期市但還沒有期市處理的——例如水泥——可以放進去。原則上，大部分的農產品可成期市或近於可成期市，皆可考慮。沒有期市的要選有大交易量的批發市場，而物品的質量或等級要有清楚的說明。

（二）上述的物品或商品——不能是製造品——選出約三十种足夠，每種選一個固定的量放進一籃子之內。選擇物品比重的原則，最好是跟廣泛市民的衣、食、住、行的大約比重相若。例如棉花屬於“衣”，豬肉屬於“食”，木材屬於“住”，汽油屬於“行”，等等。五金、材料、食料皆選擇性地放進一籃子之內。

（三）以中國為例，選人民幣的一個整數——例如一萬——按期市之價或批發之價購買該籃子的每項物品的決定了的量。定該指數為一百。這籃子中的物品的指定地點可以是中國內地的，也可以是外地的。後者要以一個自由浮動的人民幣匯率算價。

（四）籃子內的物品比率固定不變，但物品之間的相對價格一律自由變動。這籃子物品的總指數因而要每天計算一次，容易的，有物品的現價一按擊就可以算出來。物價的總指數每天會略有變動。央行的責任是利用貨幣量（主要是人民幣的鈔票量）的增減或利用外匯儲備購買或沽出外幣來維持那環繞着指數一百的一籃子物價。換言之，央行的責任是利用貨幣量與外匯儲備來調校，從而守住該一籃子的物價指數那個穩定的錨。

（五）守錨不需要守得絕對精確，在調校期間一兩個百分點的差距可以接受。另一方面，央行不需要有任何籃子內的物品的存貨，只是指明一萬元人民幣可以在指定的三十個市場購買該籃子物品。某段時期相差一兩個百分點可以接受。

（六）這籃子物品的物價指數是可以調校的。固定不變為一百是說通脹率是零。但這不是我們日常讀到的物價指數——後者指數不可以作為貨幣之錨。這裡提出的作為物價指數的錨是市民可以按着指定的物品比重與市場所在，市民自己可以按該指數購進該籃子物品。不會有幾個人真的這樣做，但他們要知道可以，相差一兩個百分點可以接受。

（七）依照弗里德曼曾經研究過多年的觀點，這一籃子的物價指數最好每年提升二至三個百分點，即是購買同一籃子的物品，人民幣從一萬升到一萬二百是提升兩個百分點。弗老當年認為二至五個百分點最適當，我選二至三。這提升是提升物價，嚴格來說不是通脹，因為通脹的重點有一個持續的近於有慣性的通脹率。我在這裡建議的是隨時可以調升或調低物價。每年調高兩三個百分點是可取的。

（八）採用上述的貨幣下錨制度，其指數比我們今天常見的物價指數更為可靠。曾經有人建議用常見的物價指數為貨幣的錨。這是行不通的，因為後者指數不能在市場買賣成交。

（九）讓匯率與利率一律自由浮動重要，因為這是建議的以一籃子物價指數為貨幣之錨帶來的兩項重要方便。央行的職責是守錨與監管銀行的運作。

（十）守錨的外匯儲備不需要很多。更重要是如果人民幣能這樣以明確的物價保值，發放出去，解除所有外匯管制，中國的外匯進賬一定會上升，甚至大升。把人民幣推出國際是一本萬利的生意，出去一元賺一元，打回頭是賺了利息。外匯進賬要放進一個特別設立的基金之內。另一方面，推出國際的鈔票要有一些英文字，也要有一些五百元甚至一千元面值的鈔票。

弗里德曼當年幾次跟我研討解除外匯管制這個問題，得到的答案是不需要逐步。一放就全放，二戰後的香港與一些歐洲國家皆成功，只是有一兩個歐洲國家有幾個星期的波動。中國目前的形勢遠比二戰後的歐洲為優，而人民幣能鈎着一個穩定的錨，只要可信，其國際接受性應該是很強的。我認為下了這樣的一個錨，不少發展中國家會採用人民幣作儲備用途的。

附錄一：從權利角度看國際收支平衡表

（按：本文二〇一二年十二月十一日發表，澄清了經濟學者歷來對國際收支平衡表的錯誤看法。刪減了開頭不重要的幾段。）

幾天前想到一個小突破，認為有點新意，寫下來不會浪費時間吧。這是關於國際收支平衡表（international balance of payments）的一點新看法。這平衡表五十年前作研究生時是大話題，要拜讀厚達三英寸的米德（J. E. Meade）寫的上下兩冊以之為題的書。這是我讀過的最沉悶的巨著，老師規定要讀。米德是我曾經批評過的寫蜜蜂採蜜與傳播花粉的人，他說市場無效率，政府需要干預。他為此成了名，我寫《蜜蜂的神話》回應，也成了名（一笑）。米德謙謙君子，是我敬仰的學者，早被封為爵士及後來拿得諾獎是實至名歸。

我想到國際收支平衡表，因為不久前發表了《中國騙術考——與羅姆尼商榷》，跟着蕭滿章傳來幾篇老外寫的關於中國在匯率上出術的文章。都是我的師弟，文章當然不錯，大致是說如果中國出術美國也算出術了。可不是嗎？凡是用上財政政策或貨幣政策來調控經濟，皆直接或間接地在匯率上出術。他們提到均衡與不均衡的問題。對經濟學的均衡闡釋我跟行內朋友的看法不同，認為要解釋的現象有可以驗證的假說就是均衡，沒有就是不均衡。這是科學方法的問題，我在《經濟解釋》卷一細說了。這種均衡與不均衡不是指可以觀察到的現象。一時間我想到國際收支平衡表的"平衡"。這是可以觀察到的事實，而想深一層，國際收支平衡表的傳統闡釋是過於複雜，因而往往誤導思考。至於"出術"這回事，所有競爭的行為必有，但不是羅姆尼說的"騙術"。

國際收支平衡的本質

顧名知義，國際收支平衡是說一個國家進出口的支出與收入一定打平，永遠打平，不可能不平。算是一種會計，但不是資產負債表或流水式的利潤表。很多國家不做國際收支平衡表的統計，而有做的不易精確，因為人民在國際上購物或調動資金不容易統計。中國比較容易，因為貨物與資金的進出口一般通過政府直接管轄的機構或部門。

國際收支平衡表分兩部分。其一是貿易項目，又稱經常項目。這包括物品與服務的進出口。其二是資本項目，包括資金的進出口與國際之間的投資。只看這兩個項目，而收支平衡表一定平衡，貿易項目有順差資本項目一定要有逆差才可以打平。有些國家，這兩個項目一起出現了順差或逆差。尤其是中國，這些年貿易項目與資本項目通常是二者皆出現順差——俗稱雙順差。

雙順差的新闡釋

雙順差的頻頻出現是中國屢遭西方指責在匯率上出術的一個原因吧。這雙順差的出現是說國際收支平衡表變得不平衡嗎？不是的，因為一個國家有外匯儲備。正數的外匯儲備龐大如中國與日本的例子不多見，經濟學者因而少注意這儲備的內容與對經濟影響的含意。

我在上文提到的最近對國際收支平衡表的一小點新看法，是把所有國際收支作為物品交易看，也可以把所有收支作為投資看。所有大家日常見到的物品進出口皆可作為投資看是費雪的投資定義，但把所有的國際投資作為物品的進出口看，是我要在這裡提出的，有少許新意，推出來的經濟含意清楚。

我的意思是說，如果一家外國機構到中國買地設廠產出，資金進入中國屬資本項目，但購買土地可以看為土地出口。雖然土地是不動產，還留在中國，但使用權是轉到外國機構那邊去，"權"是出了口的。同樣，外資在中國設廠後僱用中國工人，可以看為中國的服務出了口，雖然工人還留在中國，但這服務為老外賺取的利益是老外所有。

再推下去，中國因為上述的雙順差帶來的龐大外匯儲備，可以看為全部用作進口外間的“物品”，國際收支平衡表因而永遠平衡。把外匯儲備投資於外間的礦藏、林業、股票等，是進口了一些擁有物品的權利，而在這裡我要特別提出來討論的，是中國把外匯儲備購買了不少美國的政府債券。債券也是物品，而中國政府購買美債可以作為進口有利息租值的物品看。

這些年中國購買美債的銀碼龐大，約總外匯儲備的三分之一，目前是萬多億美元。沒有詳盡的數字在手，但考慮到中國外匯儲備源於多個國家，我的猜測是源於美國的大部分——甚或多於全部——是用作購買（進口也）美國債券。這就帶來一個有趣的問題：美國投訴中國出術，操縱匯率而賺取了那麼多外匯儲備，但也屢次要求中國多買美債——怎可以自圓其說呢？

普通常識猜中係數

又再推下去吧。人民幣匯率下調無疑會鼓勵中國的工業產品出口，但會否增加貿易或經常性的順差則要看好幾個彈性係數。幾年前我說過，美國要求人民幣兑美元升值多半不會減少中國的貿易順差，會增加這順差的機會較大。說對了，因為普通常識的猜測是彈性係數會站在增加貿易順差那邊。這裡的新問題是經常性的貿易之外，西方的企業到中國買地、設廠、僱用勞動力等——即是中國“出口”沒有離開國土的資源的使用權利——有關的資本項目的順差或逆差，跟人民幣兑美元的匯率的上升或下降的關係，也要看好幾個彈性係數作決定。這些係數基本上無從觀察，推斷的困難可想而知。

利益雙方皆有

這裡還要指出的，是“外部性”的問題。中國引進外資，讓他們買地設廠與僱用勞動力，一項不容易算出的利益是這些外資會帶來科技知識。這方面，在二〇〇七年之前，中國辦得好。匯率不論，在縣際競爭制度下，好些縣政府見外資提供的項目有可取的外部效應，免費把發展好的土地送出去。免費當然是與匯率的高或低無干的了。

美國的利益怎樣算呢？人民幣兑美元之價愈低，美國進口的中國貨愈相宜，那裡的消費者得益。失業人數會因而增加嗎？微不足道，因為人民幣提升匯率，美國的進口商會轉向工資比中國低很多的其他發展中國家找貨源。就算這些其他國家不濟於事，美國因為中國貨太相宜而增加失業率一兩個百分點，這些失業者的損失不容易彌補不失業的人購買價格較高的非中國貨。

低息貸款美國做錯

這就帶到本文要説的重點。中國因為外匯儲備大幅上升而購買（進口）了萬多億美元的美債，原則上可以大事協助美國的經濟運作，包括間接地協助美國減低他們的失業率。有兩方面。其一，購買美債是低息貸款，正如做生意的人知道，有那麼龐大的低息貸款的支持生意的策劃多了選擇。其二，中國大手購買美債是支持着美國債券之價強勁，加上廉價中國貨的進口，約束着美國的通脹率不會大幅上升。有這二者的協助，美國以貨幣及其他政策來減少失業率就來得安全了。可惜他們沒有做得對。

在中國開始大手進口美國債券的時刻，美國做了三件錯事。其一是他們決定分三次提升最低工資。其二是他們容許信貸大幅膨脹，導致後來出現的毒資產與金融風暴。其三是二〇〇三年他們進軍伊拉克。我認為在某程度上，中國大手購買美債是間接地協助了這三項錯誤的選擇，其中最嚴重的錯是進軍伊拉克。當然我是從經濟的角度看——政治我完全不懂。

附錄二：管制資本項目之謎

（按：本文二〇一三年七月十六日發表，分析了放開資本項目的效果。）

最近幾位朋友問中國應否放開資本項目，説一些北京學者有保留。管制資本項目是外匯管制的一個重點，二十五年前弗里德曼和我就力促北京放開，為什麼到今天還不放呢？

資本項目（capital account，翻為"賬目"可能較恰當）是國際收支平衡表中的貿易項目（又稱經常項目，包括物品與服務的進出口）之外的賬目，主要是資金的進出口。國際收支平衡表看似湛深，其實全部可從物品與服務的角度看，二〇一二年十二月十一日我發表《從權利角度看國際收支平衡表》，解釋清楚了。那是沒有什麼深度的自欺欺人的學問——見本章附錄一。

金融中心與資金進出

朋友問資本項目應否放開，是問中國應否讓資金自由進出口。我的第一層答案是淺的：如果中國要搞一個國際金融中心，資本項目不放開冇得搞。為何如此淺得不用解釋，但重要的是事實：古往今來凡是有點眉目的國際金融中心必定放開資本項目，即是必定容許資金自由進出口。

若問：如果放開資本項目，中國的資金外流會增加嗎？答案是：當然會。但資金進口也會增加。一負一正，哪方較大要看國際收支平衡表的經常項目會怎樣變，事前難以猜測，因為牽涉到幾個彈性係數。

再問：中國放開資本項目，外資在中國投資設廠會大幅上升嗎？答案是：不會，因為投資設廠的進口資金有好一部分已經有容許撤出的安排。

再問：外資到中國買樓、買股票及做小生意會否大幅增加？答案是：會，但有多大很難估計，因為這些事項現有的途徑五花八門，我沒有調查過，但聽也聽得天旋地轉了。放開資本項目會清除這些門路，方便了無知、膽小的老外，而什麼地下錢莊的生意會受損，但不會關門。為什麼錢莊不會關門是老人家的秘密。

最後問：放開資本賬目會增加資金外流，是會大幅地增加這外流嗎？答案是：不會，因為大量的資金外流早就出現了。大約六年前，美國公布的中國資金進口數字遠比北京公布的資金出口美國的數字為大，而跟着源自神州的資金把加拿大的房價炒到天上去，主要是豪宅；再跟着是炒起美國舊金山及紐約的物業，也主要是豪宅。這些為數不菲的資金外流要講門路，或是要講關係。沒有關係的窮人當然不易搞，但窮人根本沒有錢，跟他們說什麼資本項目是跟夏蟲語冰。

貪污理論老友說妙

一九九六年在某會議上我隨意講了二十分鐘關於貪污的話，被錄了音，翻成文稿，弗里德曼讀後頻呼精彩，但問：你怎可以證實你的貪污理論是對的呢？該稿發表時題為《一個簡單的貪污一般理論》。該理論說：沒有管制不會有貪污，而管制是為了方便貪污才出現，也是為了維護貪污的持續而持續的。我舉諸多實例，皆過癮，所以該短文可讀，而其中令行家朋友拍案的是中國禁止恐龍蛋出口的例子。

我不敢說中國目前的資本項目管制是為了方便貪污，但可以肯定：這管制增加了不少投資者的麻煩，而增加了的手續或門路程序無疑是養着一群人。放開資本項目，讓資金自由進出，會養着另一群人。哪一群比較大，收入比較多，也牽涉到幾個不同的彈性係數，無從估計。然而，這放開換來的是一個國際金融中心，辦得其法對國家的整體貢獻是非常龐大的。

經濟學可以有湛深的話題，也可以因為某些人的利益而被故弄玄虛。二者不是同一回事。

參考文獻

W. S. Jevons, "Commercial Crises and Sun-Spots," *Nature xix*, 1878.

J. M. Keynes, *The General Theory of Employment, Interest and Money*. New York: Harcourt, Brace, 1936.

M. Friedman. "The Quantity Theory of Money - A Restatement," *Studies in the Quantity Theory of Money*, University of Chicago Press, 1956.

M. Friedman and A. J. Schwartz, *A Monetary History of the United States*, Princeton University Press, 1963.

到了西雅圖華大，我對當時的系主任諾斯與同事麥基、巴澤爾等人投訴我不能解釋簡單的市場現象的尷尬。他們也一致認為傳統的經濟理論有很多問題，需要全面修改，而過不久他們說這大修我是他們知道的唯一人選。

第四章：經濟學為何失敗？

曾經提及，一九六九年的夏天從芝加哥轉到西雅圖任教職時，我到香港看母親兩個月。前一次到香港是一九六二，我剛拿到經濟學碩士。七年人事幾番新，一九六九年的夏天我已經出版了今天看可以傳世逾百年的《佃農理論》，已經寫好了一九七〇年發表的《合約結構與非私產理論》的文稿。今天看，後者也會歷久傳世。當年西雅圖華盛頓大學聘請，我算是初出道，上任只幾個月就升為正教授。一九九五年巴澤爾在一本書中寫下，一九六九年我到西雅圖時，已經是行內的產權及交易費用的第一把手了。

提到上述，是要同學們知道如下的尷尬不是一個薩繆爾森認為是社會科學的皇后的經濟科學中的一位專家應該感受到的。那是一九六九年的暑期，我在香港跑廠跑市作考查、觀察，發覺大部分的市場現象我沒有解釋！要不是當時我已經寫好了《佃農》，深信經濟理論可以解釋，可以推斷，我會考慮放棄經濟學。當時我還有另一個證據。那是我剛寫好的《合約結構》的文稿，分析公海漁業的租值消散，得到的結論是租值全部消散很困難。其中一個重要含意，是只要公海捕釣的漁船數量受到約束，每艘會獲取一點沒有業主的公海的魚類資產的租值。我當時認為這是幾個漁業工會有那麼大的約束捕釣的權力的原因。

到了西雅圖華大，我對當時的系主任諾斯與同事麥基、巴澤爾等人投訴我不能解釋簡單的市場現象的尷尬。他們也一致認為傳統的經濟理論有很多問題，需要全面修改，而過不久他們說這大修我是他們知道的唯一人選。

那是四十七年前的事了。在那追求真理的過程中，我堅守作研究生時學得的科學方法，頻頻以事實驗證假說，屢有斬獲，到十六年前我動筆寫《經濟解釋》時，再沒有什麼市場現象我解釋不了。當然，有些現象需要多花一點時間，但大致上經濟作為一門實證科學其解釋或推斷功能自己再沒有懷疑。

這次再修《經濟解釋》，十多年前的三卷改為兩年前的四卷，今天再改為五卷。這最後的三章我要申述一下自己在研究上怎樣處理與在理論上作了些什麼改進才達到今天自覺是得心應手之境。有三部分。其一是傳統的經濟學有幾項嚴重的缺失；其二是經濟理論的整個架構需要大手地簡化為三個基礎。本章討論缺失，下章討論基礎，再下章是傳記式地陳述自己的思想來源是非常傳統的。我的貢獻只是修改與補充而已。

第一節：象牙塔不知世事

我們不能解釋不知是什麼的現象，是淺道理，但放大來看不是那麼簡單。好比價格分歧。傳統的解釋是在不同市場或不同商店，出售者面對的需求彈性係數不同。邏輯對，但基本上是胡說八道。彈性係數無從量度姑且不論，出售者的資源沒有空置不會有價格分歧，沒有訊息費用不會有價格分歧——這些局限的存在或轉變才是解釋價格分歧的要點。引進這些局限轉變，推斷價格分歧的出現或不出現皆百發百中，跟彈性係數何干哉？

佃農與蜜蜂的例子

好比我寫《佃農理論》的第八章，利用詳盡的亞洲農業數據，以多種農產品的每畝平均產值轉變來證實勞力與農地的邊際產值轉變，贏得幾位大師拍掌。如果我沒有在八歲時在廣西一條小村落住了一年，天天在農田跑，長大後記得多種農植的方法，該章不可能寫出來。天賦歸天賦，知識歸知識，要是我沒有親歷其境，從觀察中學得中國農植，算我天才絕頂該章不可能寫出來。

好比我一九七三年發表的《蜜蜂神話》，大名鼎鼎的《美國經濟學報》的主編不知從哪裡見到該文稿，要刊登，但要我取消細說蜜蜂怎樣養怎樣飛那第一長節。我回覆說該文是給科斯發表的。要是我接受該大名學報，取消那看來跟主題無干的第一節，該文不可能傳世到今天。今天看將會傳世逾百年。那些驟眼看是無關重要的細節讓我推出多個可以驗證的假說而又驗證了。一個需要解釋的現象的本身雖然是主題，但沒有細節的支持是近於交白卷。人家說蜜蜂傳播花粉的服務沒有市價，但其實有，算是什麼傳世思想了？

推斷與解釋中國

好比一九八一年我肯定地推斷中國會改走市場經濟的路，要不是我在一九七九年到廣州一行，見到當時的幹部等級排列，從而想到中國經濟改革的重心所在，是要從以人權的等級排列權利轉到以資產排列權利那邊去，我不可能只見到一些局限轉變，就肯定地推斷中國會轉走市場經濟的路。跟着一九八四年我見到合同工在中國出現，立刻說中國的經濟改革不會走回頭路。當然又給行內的專家罵，但我只不過是說蘋果已經脫離了樹枝，正在向地上跌，不會回到樹枝上去。算是什麼天才了？國家職工轉為合同工是等級排列的轉變，即是說蘋果已經脫離了樹枝，怎還可以回頭上升呢？

跟一個現象有關的細節非常重要。稍為忽略可以誤導，使引用經濟理論作解釋時想到錯誤的地方。好比"全線逼銷"這個現象，有關的重要細節是這"逼銷"一定是短暫的。有了這細節的提點，我們不難想到該逼銷是為了隱瞞價格，知道傳統的榨取消費者盈餘的看法是錯的。我自己的經驗是細節的考查往往使我改變了主意，但為此而得到一個自己滿意的假說解釋時，一般是來得那麼清晰地對，那麼有趣，給自己很大的滿足感。

考查世事或現象當然不容易，但習慣了，知得多，可以舉一反三，因為現象一定有規律，其附帶着的細節容易重複。這樣的考查我們要多到真實世界跑，因為真實世界是經濟學的唯一實驗室。可靠可信的讀物不僅難找，而且讀物往往誤導。好比二〇〇八年我寫好的《中國的經濟制度》，所有資料全部是從實地考查獲取，時斷時續地考查了四年才動筆。如果同學細讀該長文，會發覺我對中國制度的陳述與分析，跟其他刊物說的是兩回事。是我對還是其他刊物對呢？這類問題我歷來不管，因為我相信自己的眼睛。另一方面，該長文或小書出版後，無數在中國內地的幹部朋友閱讀，不少向我求教。他們是"不識廬山真面目，只緣身在此山中"！

數字統計廢物多

這就帶到另一個頭痛問題：刊物上的數據或統計數字我們要怎樣看呢？想當年，美國在越戰期間，因為大學裡的年輕教師不服上頭的權力，大吵大鬧，終於搞出以數文章數量這個準則來決定大學教師升職。一時間較為容易發表的經濟學文章的數量急升。這些文章多用數學方程式或滿是數字的回歸統計。形式有學術性，技術可觀，但說到內容與可靠性就滿是問號了。

數字資料不一定代表真實世界，要怎樣闡釋與是否可靠不是淺學問。你給我一堆近於廢物的數字，我用回歸統計的方法，把數字放進電腦，亂算一通，總可以找出一些有關聯性的數據，大做文章，在某些學報可以發表。然而，足以傳世的學問，需要的是真理，是趣味，是創意，是深度——也要是這四者的合併。傳世機會是零的文章是不值得思考與動筆吧。

自己用數字統計的實例

讓我說說自己用過數字的幾件作品，好讓同學們知道真理不是那麼容易掌握。其一是說過的，寫《佃農》時用的亞洲農業數據。我花了幾個星期研究其可靠性，跟一位助手花了幾個月整理，文稿寫好後老師阿爾欽要我跟台灣有關當局聯絡，問他們那些數據是怎樣搜集回來的。有統計學的分析嗎？有，兩個註腳。其二是香港租管與重建的研究，兩位助手花了幾個月從幾千份法庭檔案中抽取數據資料。得到些什麼呢？五個註腳。其三是寫蜜蜂，我花了個多月的時間採訪十三位農戶與養蜂者，從他們的賬簿與合約中找到三十六個數字，可靠的，分兩條簡單的統計方程式陳述。

我的其他文章也類同：可靠可用的數字就是那麼難找。只有一次，唯一的，我大興土木作回歸統計分析。那是關於石油的質量與油價的釐定，我從三個機構拿得合計二千七百八十五個石油樣本的化驗室的分析，是有標準的礦物化驗，十分詳盡、可靠。由助手用電腦算出多項關聯，寫成長達一百五十頁的滿是回歸統計方程式的文稿，阿爾欽與巴澤爾讀後說那是他們見過最精彩的實證研究。只這一次我用上回歸分析大興土木，皆因數據不僅多，而且是物理與化學的資料，其可靠性沒有問號。

不知世事我們不能解釋世事。這是科斯和我的共識。可惜世事不是那麼容易知道。任何現象，附帶着的細節一定多。哪些重要哪些不重要，從事研究的人要頻頻考慮。這些細節通常在刊物中讀不到，就是讀到其可靠性一般有問號。為了減少疑慮，多年以來我頻頻到街頭巷尾跑，因為經濟學是一門實證科學，真實世界是這門學問的唯一實驗室。我也喜歡在多個行業上每個作小投資，因為這樣我可以容易地獲得可靠的資料或數據。

經濟學者要從象牙塔的高處下來，走到真實世界那邊去。

第二節：無從觀察的術語太多

經濟學是一門實證科學，任何解釋或推斷要通過以事實驗證那一關。"看不到則驗不着"這句格言我說過幾次了。因為經濟學是公理性，其假說驗證方法與自然科學的沒有什麼不同。雖然源自斯密的古典學派偏於改進社會，多價值觀，但到了新古典的馬歇爾，解釋世事就成為經濟學的重點。這重點是問為什麼，不問好不好。科學的驗證方法我在卷一解釋得詳盡，說清楚一個驗證假說指定的變量需要是真有其物，可以觀察到，或起碼在原則上可以觀察到。這是指真實世界的觀察了。然而，在構思一個驗證假說時，因為公理的需要，我們有時無可避地要用上不是真有其物的、無從觀察的變量作為起點。

那不可或缺的需求定律是個例子。該定律說的向右下傾斜的需求曲線不是真有其物，本身無從觀察。這是因為橫軸的需求量是指一個人的意圖之量，不是真有其物，就是在原則上也無從觀察。我在卷一提出的處理，是通過"含意"的方法與邏輯的推理來求得可以用事實驗證的假說。只一個無從觀察的"需求量"就是大麻煩，可幸原則上可以挽救。

再看那重要的需求曲線，價是真有其物，代價在原則上可以看到，也是真有其物。有了價或代價的存在，一個人選取的量是價或代價接觸着需求曲線那一點，即是邊際用值，而這點之下就是需求量。價等於邊際用值是一個均衡點，代表着個人爭取利益極大化。爭取利益極大化也無從觀察，本身無從驗證，但這只不過是因為需求量不是真有其物。解決後者，那需求曲線劃定下來的爭取利益極大化就可以推出驗證的假說了。這是為什麼那需求定律——價或代價下降需求量一定增加——是那麼重要，那麼不可或缺。

撇開價值觀，有公理性的科學驗證當然要盡可能減少無從觀察的變量。然而，那所謂新制度經濟學興起之後，無從觀察的術語或變量在經濟文章中變得到處都是。絕對是悲劇。我可能是這不幸發展的"始作俑者"。一九六九年我發表的關於合約選擇的文章，提出卸責（shirking）這個無從觀察的行為或變量，用以衡量監管費用的變動。過了不久我知道"卸責"、"勒索"等術語皆無從觀察，因而不能以之推出可以被事實驗證的假說，決定不再用。可惜阿爾欽與德姆塞茨一九七二年發表的關於公司或機構的文章，卻以"卸責"為主題。該文是《美國經濟學報》歷來被引用最多的文章，帶起一個"卸責"浪潮，而阿師與兩位作者一九七八年發表的關於公司垂直合併的文章，也大熱，用上的是跟"卸責"類同的"敲詐"（hold-up）這個也是無從觀察的術語。該文提出為了避免敲詐，石油公司不租用輸油管，但租用運油船。我當時為一家石油公司作顧問，剛好考查過石油運輸的合約安排，對他們指出那兩個例子跟真實世界的運作是兩回事，錯得離譜。他們只把例子刪除，文章內容不改。

回頭說一九七一年，麥克馬納斯（John McManus）到我西雅圖的家作客，我對他提出後來變得大名的廣西縴夫的例子，說持着鞭子監管縴夫卸責的人，是縴夫的代理人僱用的。我說是當年在廣西逃難時母親對我說的，不知是真還是假。殊不知這例子在幾篇文章中走紅，使我啼笑皆非。母親可能對，也應該對，監管需要，但我們怎可以知道是因為卸責呢？我們可以觀察船行的速度，可以量度縴夫的力度，但卸責、偷懶、敲詐等術語，儘管法庭審案時法官可以這樣說，但科學驗證需要的是看得到，不管用序數還是基數，要可以量度，而任何有腦子的客觀者要同意有關的行為或現象的存在。

輪到威廉姆森一九七五年出版《市場與等級》時，他是寫了一本術語字典，以"機會主義"及無數無從觀察的術語來申述人的行為，沒有半個可以驗證的假說。再跟着就是博弈理論的捲土重來了。

上述我曾經寫過，這裡再說因為重要。這就帶到貝克爾（Gary Becker）和我之間的一點重要分歧。貝兄不是普通人馬，而是數十年一見的經濟學大師。他高舉我的想像力，但認為我的經濟解釋不是解釋。我高舉他的分析力，但也認為他的經濟解釋不是解釋。我更認為他對市場或社會的一般觀察，在細節上的掌握不到家。

我和貝兄的主要分歧，是他頻頻用上功用函數（utility function），我完全不用。事實上，我早就放棄了起自邊沁的"功用"，不管後人怎樣改進我也不用，因為"功用"不是真有其物，本身無從觀察。我用斯密提出的在原則上可以觀察到的“用值”替代。我不是說功用這個概念完全不能用，而是阿爾欽當年和我同意的，採用功用這個不是真有其物的概念，我們要先解決兩點。其一是要知道某物或某情有功用；其二是要指出獲取該物或該情的代價。這兩個要點貝兄當年是同意的。問題是我認為指出某物某情有或沒有功用往往是武斷的選擇，容易中套套邏輯之計。

當年阿師和貝兄認為功用這個概念非用不可的原因，是非金錢物品——不能在市場買賣的物品，例如友情、聲譽等——的存在。我同意有非金錢物品（non-pecuniary goods），但非金錢物品可與金錢物品替換，所以不需要以“功用”來處理。是的，我認為貝兄的文章，動不動用上功用函數，一般是從數據資料，以回歸分析找到有關聯才把功用函數放進去。當然，貝兄忠於學術，不會出術，但我認為他的處理或解釋世事的方法，自己中了計可能不知道。

我不明白為什麼貝兄當年極力反對我的兩件作品。其一是一九八一年我寫好的推斷中國會轉走市場經濟的路。該作指出的兩項局限轉變，我說得清楚，邏輯井然，後來中國的發展證明我對。其二是一九七六年我寫好的解釋優座票價偏低的文章，指出因為有跳座的行為，需要監管，讓優座票價偏低，先滿，可以減低監管費用。貝兄當年同意我的票價文章有趣，同意我提出的假說可以驗證，也同意我是驗證了，但卻堅持我錯——理由是芝加哥大學的同事一律說我錯！

上述說的是君子和而不同。我當然對自己採用了多年的經濟解釋的方法有信心。我希望同學們考慮兩篇文章。其一是我一九七二年發表的《婚姻》，其二是貝兄一九七三年發表的《婚姻》。我用爭取財富極大化這個公理假設；貝兄用爭取功用極大化這個假設。貝兄的文章遠比我的大名，四十多年後的今天我的才受到一小撮學者重視。當然，可能貝兄和我兩個都對，或兩個都錯。同學們自己作判斷好了。從歷久傳世這個準則衡量，我賭我勝，可惜我不會有機會見到。

第三節：交易費用需要放進去

奈特一九二四年發表的關於社會成本的文章，對我影響很大，尤其是起筆那幾段話。那是遠早於科學方法的大辯論在經濟學出現之時。奈特的文字不易讀，其大意是說，經濟學的假設往往出現誤解，但關於局限的假設一定要合乎世事的實情。翻過來，半個世紀之後我說：如果某實驗指定要用一支清潔的試管，我們不能用一支不潔的試管而假設是清潔的。

這裡的問題，是經濟解釋包括需求定律、局限或成本的轉變，引進競爭。這個簡單的理論結構我會在第五章細說。本節說的困難是怎樣把成本這局限放進分析去。

一人世界有需求定律，也有邊際產量下降定律，這二者可以看為是同一回事。一人世界有成本，即是有代價，但沒有市場。代價的轉變帶來的行為轉變可以同樣地以需求定律約束。從一人世界轉到社會，需求定律與成本概念仍在，但因為有競爭，市場出現，而市價就是決定市場競爭的勝負準則。這些，傳統的經濟學處理得大致上稱意。麻煩的出現，是社會有產權界定的問題，也有交易費用的問題。二者皆局限。產權問題可用廣義的交易費用的變化處理。我出道之初重視前者，今天卻重視後者了。

讓我們再看傳統的理論基礎吧。需求定律——包括邊際產量下降定律——可取，成本（包括租值）的概念可取，競爭的概念也可取。成本是局限，可以翻為價，跟着的市場分析，雖然這裡那裡多有不足處，改進了也算是可以吧。撇開產權這項有時我認為是過於抽象的局限不論，引進交易費用作替代往往有較佳的效果。困難是我們不容易把交易費用放進分析去。

是的，傳統的需求定律，邊際產量下降定律，成本與租值概念，競爭的含意等，讓我們選擇這些最高檔次的闡釋，我們不容易找到地方把交易費用這項局限放進分析中。傳統的分析根本沒有考慮交易或制度費用的存在。這傳統要不是暗地裡假設交易費用是零，或微不足道，就是假設這些費用高不可攀。不明確地引進交易或制度費用，無數的現象我們解釋不了。

這就是問題。傳統的經濟理論發展沒有考慮怎樣把交易費用這項非常重要的局限放進分析中。一人世界有需求定律（包括邊際產量下降定律），有成本（包括租值）概念，但交易費用起碼要有兩個人才會出現，是另一個層面的思維，性質不同，我們要怎樣處理才能把交易費用放進傳統的理論架構來推出可以驗證的假說呢？

數十年來，重視交易費用的經濟學者多了不少，但說這是因為交易費用那是因為交易費用，往往是說了等於沒有說，算不上是可以驗證的假說。這就帶來無數的無從觀察的術語，而跟着的博弈理論是在說故事，無從驗證。

經過五十年的不斷耕耘，我屢次成功地引進交易或制度費用來推斷或解釋世事。小現象如價格分歧的出現，大現象如中國的改制，我的推斷皆引進交易或制度費用，事前推斷或事後解釋都給自己很大的滿足感。

今天回顧自己嘗試而又獲得滿意收穫的引進交易或制度費用的無數實例，綜合起來細看，成功之處主要是因為我能把傳統的相當複雜的經濟理論簡化到最基礎的幾個原則，讓我能把有關的概念發揮得變化多，但整個理論架構卻是遠比傳統的簡單了。簡單的理論架構，內裡的空位甚廣，讓我能揮灑自如地把交易或制度費用放進去。

第四節：從科學解釋角度看經濟學的災難

"解釋"(explanation)一詞有好幾種意思。看風水是一種解釋，信不信由你。不少人相信，風水先生這個行業因而在中國存在了幾千年，歷久不衰。以圖表分析及推斷股市走勢沒有數千年，但股市歷史有多久這種圖表派的學問就存在了多久。我稱股市的圖表派為風水派，信之者不乏人，所以其服務市場有價。我曾經指出，這是意圖以事實解釋事實，信之者其結局如何沒有人作過統計吧。

解釋不一定可以推斷

一個小孩子逃學，母親問為什麼，這孩子聰明誠實，作了解釋。他提供的解釋應該對，但通常是一些特殊情況，不能一般性地引申到他的其他行為上。

歷史學家對史實的解釋呢？擇其佳者，我既欣賞也佩服，尤其是中國的史學家。記得年輕時讀唐人杜牧的《阿房宮賦》，在結語中他寫道："滅六國者，六國也，非秦也；族秦者，秦也，非天下也。"我不僅拜服小杜的文采，也對影響了他的史書嚮往起來。當然，歷史學家的觀點與引用的史實可能錯，但錯失任何學問都可能出現，可以被後人修正。問題是，不管史學家的學問如何精確，不管他們對史實的考查如何慎重、客觀，他們對史實的發展不能在事前肯定地推斷。上佳的史學可信可靠，對史實的解釋也精彩，問題是這門曾經教我很多的學問不能肯定地在史實出現之前作出推斷。換言之，歷史學者不能像我那樣，在一九八一年肯定地推斷中國會改走市場經濟或資本主義的路。當年我不是碰巧的——把自己的名字押上去不是兒戲。這類推斷當然不容易，因為要有足夠的局限轉變的掌握，但只有經濟學才可以在事前作出這類準確的推斷。

再說鈔票失蹤的例子

回頭說多年前我提出的——今天不少美國大學採用的——那紙百元鈔票掉在行人路的地上會失蹤的例子。所有其他科學皆不能解釋該鈔票會失蹤，但經濟學可以，而且可在失蹤之前推斷，指出在一些情況下該鈔票一定會失蹤。萬無一失，跟牛頓說蘋果脫離了樹枝會掉到地上去一樣。

當然，任何人——就是小孩子——也可以容易地推斷該鈔票會失蹤，也會知道要指定的是些什麼情況。經濟學的關鍵貢獻是：足以解釋鈔票失蹤的理論架構，適當地採用，可以解釋及推斷人類的所有行為！

外人看來是小題大做了。解釋路上的鈔票失蹤，經濟學武斷地提出三項公理（axioms）。其一是需求定律：價格或代價下降需求量會增加——例如沒有公安在場行人會偏於拾取該鈔票。其二是成本是最高的代價——例如一個人趕着上路，他拾取鈔票的意圖會下降。其三是競爭的含意——鈔票可以在市場競投物品，面額愈大競爭會愈激烈。說是小題大做，但經濟學的整體就是那麼多，要解釋複雜無比的現象經濟學的整體也就是那麼多。這三個屬公理性的基礎非常重要，我不僅在《經濟解釋》前四卷反覆地申述，而且在本卷的第五章會再簡說一次。屬淺學問吧？非也。在社會競爭下引進交易或制度費用，為了減少這些費用，道德與風俗的教誨會在社會出現，在某些風俗的約束下可能出現路不拾遺的情況，解釋了鈔票不失蹤，或拾取者把鈔票交到公安去。不是套套邏輯，但引進新的局限，可以驗證的，要客觀地下工夫。

公理性的解釋是事前推斷的關鍵

轉到本節要說的重心話題。屬公理性的科學是可以驗證的，即是可以提出有機會被事實推翻的假說。可以驗證於是成為一種實證科學。事後解釋好些其他學問都可以，但事前可以推斷的學問一定要是公理性（axiomatic）。公理性的科學可以推出讓事實驗證的假說。這樣處理，事前推斷與事後解釋的性質相同，雖然難度不一樣。自然科學——物理、生物、化學——全部是公理性的，但在社會科學中只有經濟學是公理性，所以驗證假說在經濟學非常重要。

在西方，經濟學重視假說驗證出現在上世紀五十年代中期到七十年代中期，約二十年，其主要參與者集中在幾間大學。其後的不幸發展源於要算文章發表的數量，沒有多少內容的數學與容易誤導的統計分析變得盛行，願意多花時間考查真實世界的局限的經濟學者近於消失了。

統計學說的驗證（testing）可不是理論假說的驗證。沒有牽涉到需求定律、成本概念與競爭含意這三者並存的經濟分析，是無從推出可以驗證的有解釋力的假說的。

想當年，老師阿爾欽教需求定律，不用任何圖表或方程式，講足十五課。今天我可以倍之。當年學成本概念與競爭含意，我苦讀、苦思三年，跟着在博士後，單是成本（包括租值與交易費用）我繼續苦思數十年。今天，從西方回歸的同學告訴我，上述的三個基礎或公理，他們的老師基本上不教，可能因為老師們不懂吧。這些不可或缺的經濟學基礎，既不教也不

學，怎能推出可以驗證的經濟假説呢？

參考文獻

F. H. Knight, "Some Fallacies in the Interpretation of Social Cost," *Quarterly Journal of Economics*, 1924.

S. N. S. Cheung, "The Enforcement of Property Rights in Children, and the Marriage Contract," *Economic Journal*, 1972.

A. A. Alchian and H. Demsetz, "Production, Information Costs, and Economic Organization," *American Economic Review*, 1972.

O. E. Williamson, *Markets and Hierarchies*. New York: Free Press, 1975.

B. Klein, R. G. Crawford and A. A. Alchian, "Vertical Integration, Appropriable Rents, and the Competitive Contracting Process," *Journal of Law & Economics*, 1978.

S. N. S. Cheung, *Will China Go Capitalist?* Institute of Economic Affairs, 1982.

經濟學的整體只有三方面的基礎。其一是需求定律，其二是成本概念，其三是競爭含意。這三者結合起來是馬歇爾之後的一個新的理論架構，不分產品市場與要素市場，比馬前輩的理論架構簡單很多，寬敞很多。這些寬出來的空間讓我們能把交易或制度費用遠為容易地放進去，獲得的解釋或推斷行為或現象的威力是馬前輩昔日遠為不及的。

第五章：經濟解釋的簡單理論結構

淺學問可以有深層面，甚至深不可測。另一方面，如果深學問推不出淺顯的一面，則算不上是什麼學問了。這是我從事經濟思考與實證研究逾半個世紀而獲得的信念。

作研究生時我選修了好些複雜的、技術性的科目，成績冠於同窗。後來嘗試以這些複雜理論來解釋世事，發覺完全不管用。理由簡單：世事複雜，以複雜理論嘗試解釋會弄得一團糟。複雜與湛深是兩回事。幾位懂中文的經濟學者朋友讀我的《經濟解釋》，一致認為是深得很，往往要讀幾遍，可幸他們也同意我掌握着的理論與概念一個本科生應該學過，而研究生應該耳熟能詳。説深是因為我從淺的推得深入，而有時不易讀得懂主要是因為用出多變化。簡單的原理用出多變化是我説的深層面。這解釋了《經濟解釋》的讀者多是商人及幹部，因為他們認為可以用。可惜他們説要讀幾次。不應該是源於我寫得難明，而是因為世事複雜，本身就難明。為此我把整本《經濟解釋》再修一次。

第一節：幾何圖表再闡釋

這裡我要再次引進卷一《科學説需求》第九章發表過的一幅一九七一年我想出來的幾何圖表，簡單的，但基本上是包括着經濟理論的結構的全部。一九七一到今天是四十五年，我對經濟學的體會大有長進，而同學們讀《經濟解釋》從卷一讀到這裡也應該大有長進。這裡我再次闡釋該幾何圖表，增加了深度，好讓同學們知道做學問是怎麼樣的一回事。

一九七一圖表：交易理論與市場需求

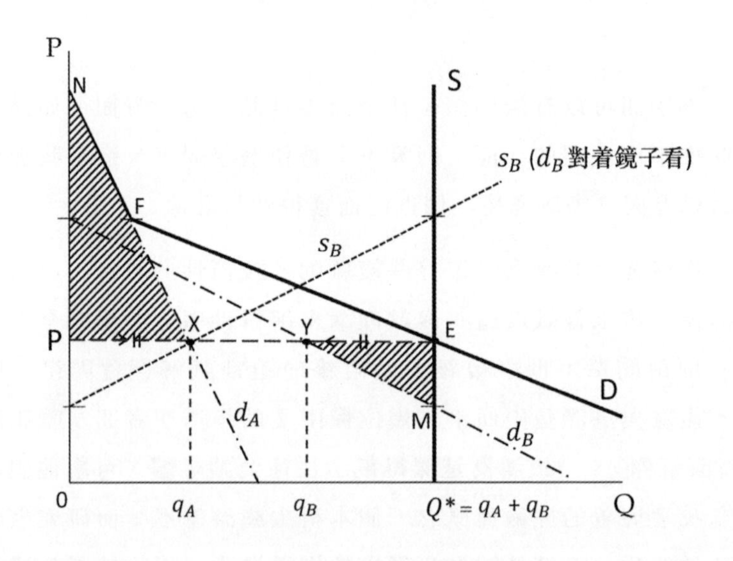

圖中的 d_A 與 d_B 是 A 君與 B 君這兩個人對同一物品的需求曲線，縱軸是價，橫軸是量。我不用功用或效用這理念，而是用斯密提出的原則上可以觀察的“用值”（use value，斯前輩稱 value in use）。“功用”不是真有其物，無從觀察，可以不用不要用。A 君與 B 君的需求曲線是他們各自對該物品的邊際用值。價等於邊際用值就是同學們知道的消費者均衡，也代表着每個人在局限下各自爭取利益極大化的結果。需求曲線向右下傾斜是需求定律。

一條曲線六處改進

這裡我的貢獻有六項。一、價也是代價，非金錢物品（例如父母子女之間的愛）雖然一般不能在市場成交，但有代價，可以替代，需求定律同樣用得着，不需要採用空中樓閣的功用或效用。二、所有局限轉變皆可翻為價或代價的轉變，而約束人的行為跟着的轉變是需求定律。代價是成本，加上也是成本的租值不是淺學問，我在卷二與卷三解釋得詳盡了。三、成交量是真有其物，但需求量不是，而後者是唯一的在經濟學中我們不能不慎重處理的空中樓閣的變量。可以處理，我在卷一第六章作了示範。四、委託量。"量"可能只是一個委託之量，不是購買者需求之物。例如以時間工資僱用員工，僱者購買的是員工的產出貢獻，不是員工的時間，只因為量度貢獻的費用高，就委託於以時間量度。又例如購買維他命丸，以每瓶算價，其實顧客要買的不是瓶子。這"委託量"的理念我用於解釋"公司"的出現，非常對，而科斯說公司替代市場不對——對的看法是一種合約替代另一種，皆市場也。五、履行定律。凡是選擇作價的量，監察履行的費用會下降。例如購買維他命丸以瓶數算，你不用擔心出售者會騙你瓶子的數量，但瓶子內究竟是些什麼，會否中計，就不容易監察了。履行定律是衡量監管費用轉變的最簡單法門，好用，我常用。六、隔離理論。選擇作價的"量"一定要有可以把不付費的人隔離的特質，出售者才可以收費。這是共用品破案的關鍵（見卷一第八章）。量的選擇要有隔離的功能才可以把共用品帶進有市場的需求定律去。

上述六項皆明確道理，都重要，但今天的大學課程沒有教，專業學者想也懶得想，難怪行外人不認為經濟學有什麼實際用場。只一條曲線我就指出傳統的處理有六處大漏，轉到較為複雜的成本概念與競爭含意，我給傳統的打分當然是到處交叉了。西方的經濟學發展了二百多年，天才輩出，他們是搞什麼鬼的？

要把簡單理論用出變化

上述六項關於闡釋一條需求曲線的傳統忽略，看似瑣碎，加起來是經濟學者不能把需求定律發揮出可觀的解釋力的重要原因。他們重視功用或效用函數與彈性係數，寫出的方程式雖然可觀，卻不容易帶到真實世界的現象去。實際上彈性係數無從量度，功用或效用不是真有其物，中了套套邏輯之計是不容易察覺的。真實世界沒有需求曲線這回事！

傳統的經濟理論的解釋力令人尷尬我作研究生時就知道——老師阿爾欽當時被譽為價格理論的天下第一把手，但他解釋不了很多我從小在香港見慣的市場現象。複雜的理論顯然不管用。一九六九年起我頻頻跑工廠跑市場，重視現象的細節，然後憑這些觀察逐步把經濟學的理論與概念調校。結果是把簡單的理論用出複雜的變化。實不相瞞，技術上，我曾經是一個複雜理論的好學生。

市場均衡的淺釋

回頭看圖表，說市場。假設物品的總量是Q*，即總供應的豎直S線。假設Q*之量全為B君所有。這樣，物品給B君的邊際用值是M。A君完全沒有該物品，他的邊際用值是N。N比M為高，如果市價低於N，A君會購買；如果市價高於M，B君會出售。B君出售，他的邊際用值會從M沿着d_B曲線向左上升。A君購入，他的邊際用值會從N沿着d_A曲線向右下降。達到的均衡點是A君的邊際用值與B君的邊際用值相等，即是X的高度與Y的高度相同。這高度也與P相同，是A君與B君交易的市價。B君出售給A君之量為YE，跟A君購買之量PX相等，即是可以觀察到的成交量，沽出與購入一定相同。A君從這交易所獲之利是NPX，他的消費者盈餘。B君放棄了q_B YMQ*

這個面積的用值，換來 A 君給他的 q_B YEQ* 這個面積的換值（斯密稱 value in exchange），賺取到的是面積 YEM。

市場均衡是指 A 君的邊際用值等於 B 君的邊際用值，二者再等於市價。這些卷一說過。也說過這均衡是競爭的結果。不管市場有多少個需求者與供應者，每個皆自私自利，各自為戰，見價高於自己的邊際用值就沽出，見價低於自己的邊際用值就購入，結果的均衡點還是所有的人的邊際用值相等，再一律等於市價。

我們把個別競爭者的需求曲線每價向右橫加而獲得市場的需求曲線。以 d_A 與 d_B 每價向右橫加，圖中的 NFED 就是市場的需求曲線了。市場的均衡點是 E，即是總需求曲線與總供應曲線相交之點。

第二節：三個近人的貢獻

讓我們停下來，分享一下三個近代的人對上述分析的貢獻。阿爾欽的貢獻是指出市價是決定競爭勝負的準則，把產權與競爭掛上了鈎。"價格決定什麼遠比價格是怎樣決定的重要"是阿師教的，可惜是口述，可能只教我一個。阿師之見非常重要，我從這點得到的啟發是把約束競爭帶到合約的安排，從而推出卷四的合約一般理論。科斯的貢獻，是指出市場成交要有權利界定，我們不要只從物品或資產本身那方面看。這是科斯定律的主要內容了。科斯之見非常重要，因為他引進交易費用看權利界定。

我自己的貢獻卻有六項之多，可惜加起來不一定比得上阿師與科斯每人說一句那麼重要。我的六項貢獻是什麼呢？一、市價是唯一的不會導致租值消散的競爭準則，爭取採用這準則往往要付出很大的交易或制度費用。二、說價格管制會導致剩餘或短缺，不能清市，是胡說。有價管必有其他競爭準則出現來替代，知道什麼替代準則會出現，清市分析易如反掌，而推斷什麼準則會替代市價要從減低租值消散的門徑找尋。三、經濟學的均衡是個概念，非事實，不要被物理學的事實均衡誤導。經濟學的均衡是說有足夠的局限條件指定，推得出可以驗證的假說。四、馬歇爾的剪刀比喻——交叉於E點的那把大剪刀——是錯的。馬前輩那把大剪刀基本上沒有用，我們要弄清楚那大交叉之內的無數小交叉的含意。五、邏輯上，吉芬物品只可能在一人世界或沒有交易的情況出現。市場之內或任何有交易的物品，邏輯上不可能是吉芬物品。（同學們可從圖表證出。）六、市場的交易費用不菲，但沒有交易費用不會有市場。市場的出現是用增加市場交易費用的方法來替代沒有市場會出現的更大的制度費用：租值消散。

第三節：供應曲線與薩伊定律

再回頭看圖表吧。B君的需求曲線 d_B，從鏡子看是他的供應曲線。價高於M，他會出售，沿着 d_B 向左上出售。從鏡子看 s_B 就是他的供應曲線了。這向右上升的 s_B 供應曲線也是B君的邊際成本曲線，因為成本是最高的代價，而B君的需求曲線 d_B 是代表着他的最高邊際用值。放棄的邊際用值就是邊際成本。s_B 與 d_A 相交的X點是從另一個角度看市場均衡：A君的邊際用值等於B君的邊際成本。綜合起來，市場均衡是說，所有參與者對同一物品的邊際用值相等，等於市價，再等於該物品的供應邊際成本。（按：從鏡子看的供應曲線，當年我只用文字提及，沒有畫出來。要是當年我畫了出來，今天這圖表會更為普及。）

上述是說，市場可以有無數的人一起參與，一起競爭，即是在我們的圖表中可以有無數的個別需求者與供應者，每個皆需求，每個皆供應。我們的分析依舊，只是無數的個別曲線這裡不好畫出來。同學們不妨自己畫，在圖中那市場需求曲線之內可以有無數像 X 點那樣的小交叉，參與者互相以市價為競爭準則達到的均衡點是無數個 X 點一律平排。這也是說，馬歇爾那把大剪刀我們看不出有多少內容，無數的小交叉平排才是以市價為競爭準則的內容所在。

上述分析是基於一種存在的物品，沒有牽涉到生產活動。引進生產活動，這分析基本上不變。假設有一個人在街頭賣花生，獨自種植然後製成花生食品在街頭出售。這個人是用自己的生產要素，通過生產活動，然後在市場推出花生食品。他的供應曲線也就是圖表中的 s_B，看為出售勞力或出售花生食品基本上沒有分別。

比較複雜是這個人不獨自產出，參與一家公司與他人一起合作生產。基本上我們的分析依舊不變，但要從件工合約的角度才容易看清楚。假設公司之內的所有員工的產出貢獻皆由件工合約處理，那麼每個員工可以看為在街頭賣花生的人。有了這個看法，從件工合約轉為時間工資合約只是在合約安排上有所轉變。市場其實一樣，但轉換了合約形式你說這個是產品市場那個是生產要素市場我不會跟你打官司。

否決吉芬支持薩伊

這裡我要從另一個邏輯角度來否決吉芬物品。馬歇爾提出吉芬物品時舉麵包為例。麵包是消費物品，但無疑也是生產要素——不吃何來生產呢？這樣看，所有消費物品皆生產要素，因而要受到邊際產量下降定律的約束。（按：生產要素的需求曲線是否一定向右下傾斜不是淺學問。作研究生時我證出一定是，但後來在西雅圖華大有同事提出我認為是錯的反證。)

大致上可以這樣看吧。凡是牽涉到競爭的話題，我們最好從需求或價值那方面看；凡是牽涉到制度或組織的話題，我們最好從供應或成本那方面看。其實牽涉到的只是轉換角度。前者同學們要學好需求定律與價值概念，後者要學好難度相當高的成本與租值概念，而牽涉到交易費用那類成本更是深不可測了。

上述分析是說薩伊定律基本上沒有錯，只是他不應該說供應創造需求，要說供應是為了需求。凱恩斯學派說薩伊錯因為有貯藏而不用的行為，但我想破了腦子也想不出什麼是沒有用途的貯藏。再者，我認為該學派把投資與儲蓄看為兩回事——前者是注入，後者是漏失——是自欺欺人的玩意。費雪的處理是二者是同一回事，只是角度不同。我取費雪，不取凱恩斯。

這裡我要回頭再說那重要的薩伊定律。該定律有好幾個版本。我當然要選最可取的算在他的頭上。我敬仰古人的習慣不能改，也不應該改。我解釋過以藏而不用的行為來否決薩伊是不公平的，因為藏而不用其實是用了。

更重要是我們要把薩伊定律推到斯密的分工合作的製針工廠去。無數的人一起分工合作，容易使人覺得薩伊錯，因為那是走進那所謂宏觀經濟那個層面去。我想到的處理方法，是無數的人一起分工合作，如果通過件工合約看問題，可以看為每個人獨自產出然後在市場出售。那就回復到本章用的幾何圖表了。時間工資合約與件工合約的分別是合約不同，但市場一也。選擇時工是因為時間的量度費用低，而零碎的工作多，難用件數算。

第四節：三個基礎與兩個難題

上述可見，經濟學的整體只有三方面的基礎。其一是需求定律，其二是成本概念，其三是競爭含意。這三者結合起來是馬歇爾之後的一個新的理論架構，不分產品市場與要素市場，比馬前輩的理論架構簡單很多，寬敞很多。這些寬出來的空間讓我們能把交易或制度費用遠為容易地放進去，獲得的解釋或推斷行為或現象的威力是馬前輩昔日遠為不及的。

上述三個基礎不是淺學問，要學得到家需要相當長的時日。學好了這三項還有兩個大難題需要處理。其一是引進也算是成本的交易費用；其二是要從適者生存的哲學角度來處理無從觀察的公理或概念。

先談交易費用吧。這些是一人世界不會出現的費用。我說的大難題不單是交易費用很難處理，更為頭痛是如果真的沒有交易費用，社會不會有市場。這點我在一九八二年提出，科斯與阿羅皆同意。當年我認為不是那麼重要，科斯也認為不是那麼重要。後來愈想愈重要，王寧說科斯謝世前幾年也認為重要了。

沒有交易費用不會有市場，那為什麼社會會有市場呢？這個"淺"問題我想了二十年才找到答案。其實解答這問題的幾個關鍵我早就知道，只是腦子閉塞，要想多年才加得起來。

讓我先說：交易費用替代定律

我們日常見到的市場，交易費用（從管治到合約費用，等等）多而龐大，但市場的出現不可能是為了增加這些費用。市場的出現一定是為了減低某些交易費用。這些市場減低了的費用是些什麼呢？這問題我想了多年才想出一個明顯地對的答案：市場的出現是為了減低租值消散，而市價是唯一的不會導致租值消散的競爭準則。租值消散是一種交易費用，因為在一人世界租值消散不可能出現。是多麼神奇的世界。人類因為自私自利促成的租值消散有可能毀滅自己，但也因為自私自利他們願意付出很大的交易費用——法治、保安、界定權利、議定與履行合約等費用——為的只是爭取一個不會導致租值消散的競爭準則：市價。市場的出現於是可以看為：提升我們日常見到的上述的多種交易費用，替代我們日常不容易見到的另一種交易費用：租值消散。你說世界神奇不神奇？經濟學過癮不過癮？

今天，我認為上述的"交易費用替代"這個思想路向還有很大的發展空間，還有不少有趣的定律可以發掘。但自己老了，容易累，希望同學們能繼續走下去。是的，我把交易費用、制度費用、合約費用、約束競爭費用、租值消散等，皆概括為交易費用，而不同性質的交易費用可以互相替代是一個重要的新路向。我大概地知道"交易費用替代定律"的輪廓：要以競爭準則為核心，然後採用我一九七四年發表的《價格管制理論》的思維，加上變化。

漠視租值消散是大漏

很奇怪，租值消散這個話題，除了戈登一九五四年發表的那篇關於公海漁業的文章，我是唯一重視而又為之發表過幾篇英語文章的經濟學者，中文更提到無數次。王寧說科斯不重視，我不明白，而搞均衡分析的不重視我更不明白了。我說過，經濟分析，其中有應該消散的租值，但沒有消散，該分析一定錯！這是有經濟內容的均衡與非均衡的推理，比用數學方程式快很多，也替代了沒有經濟內容的瓦爾拉斯。經濟內容是指價值、成本與競爭這三方面的含意，瓦爾拉斯不懂。要注意：沒有應該消散的租值存在的分析不一定對，但有則一定錯。

公理性科學必須驗證假說

讓我轉談經濟學的第二個大難題吧。這是關於這門學問獨有的哲學性質的。薩繆爾森曾經說經濟是社會科學中的皇后，我不同意，因為人類學與歷史也算是社會科學，而我從這兩門學問學得很多，對其中一些論著很佩服。然而，明顯地，經濟學是社會科學中唯一的屬公理性（axiomatic），即是以武斷的假設或公理作為出發點。這跟自然科學——物理、化學、生物——相同。經濟學的公理性發展源於斯密之後的李嘉圖，我們感激。然而，這發展上世紀七十年代就顯得不對頭，到八十年代令人尷尬。

困難是這樣的。自然科學的公理或定義，雖然偶爾有抽象的，一般是以實物為基礎。經濟學呢？除了邊際產量下降定律，其他公理或定義皆屬虛構，不是真有其物。這就帶到一個重要的哲學問題。解釋人類行為的方法有幾種，不一定需要是公理性。經濟解釋，傳統上，是公理性，要通過假說驗證，即是要通過證偽那一關。所有公理性的科學都要求假說驗證——嚴格來說只有公理性的科學有這樣的哲理規定。我說過多次，看不到則驗不着，驗證假說要有兩個或以上可以觀察到的變量才可以執行。

空中樓閣需要有規律支持

從上文分析圖表時可見，經濟學的公理或定義一般不是真有其物，無從觀察，而我認為不能不接受的空中樓閣的變量只是需求量。不是說其他空中樓閣——例如功用或效用——完全不管用，而是我認為可以不用不要用，省卻很多麻煩。但其他在灰色地帶的要怎樣處理呢？例如成本的定義是最高的代價，看得到嗎？一個做生意的人天天算成本，但我們怎會知道那是他最高的代價呢？用做生意的人各自不同的成本觀，經濟學的結構會塌下來。不少經濟學者屢有如下的毛病：把自己的價值觀作為宇宙觀。

這裡還有另一個有關的重要話題。解釋或推斷現象或行為，現象或行為不可以沒有規律。我不是自然科學專家，但意識到，生物的行為規律比不上非生物或死物的現象規律那麼穩定。蜜蜂在夏天採蜜，偶爾見到冬天採蜜的不能視為否決了夏天採蜜的推斷。我的意識，是經過細胞運作與條件反射的左右，加上無從算進的因素太多，生物的行為規律沒有非生物的現象規律的穩定性，雖然二者皆有規律。

自然淘汰可把公理倒轉處理

人類是生物，而經濟學者也是人，往往有自己的價值觀，增加了經濟解釋的困難。撇開這困難，我們要怎樣處理那有公理性的經濟科學呢？我們要怎樣處理那麼多的空中樓閣？撇開"需求量"這個變量——無從觀察但可以間接地以含意確定——其他經濟學的公理或定義是有着另一個層面的困難。經過多年的尋尋覓覓，我的處理方法是從人類的行為或市場與非市場的現象規律來闡釋、修改與補充經濟學的公理及定義，或加上變化。這是從自然淘汰或適者生存的角度處理了。這樣處理，經濟學者中首見於斯密，而這方面對我影響最大的是老師阿爾欽一九五〇年發表的那篇《不確定、進化，與經濟理論》。

上述是說，我們可以從生理基因的公理與基因的轉變來解釋適者生存，也可以倒轉過來，從適者生存的可以觀察到的行為規律來釐定或闡釋公理。後者是我認為經濟學應該走的路。凱恩斯曾經說經濟是淺學問。如果不管解釋行為的規律，凱氏無疑對。但如果真的要以經濟理論解釋或推斷行為或現象，從我個人的經驗說，不能把需求定律、成本概念、競爭含意等滿是抽象意念的東西帶到真實世界中，經濟理論對解釋行為不管用！

這解釋了為什麼經濟學是那麼容易入門，但學得有少許成績卻又是那麼困難。不搞解釋你可以用方程式寫得天花亂墜，但真的要解釋世事你會感到縛手縛腳。同學們背出成本、租值、競爭、消費者盈餘等的定義容易，但真的是懂嗎？不多到街頭巷尾跑，觀察世事的細節，反覆地與這些理念印證，掌握多方面的變化，不會是真的懂。這是為什麼寫《經濟解釋》時我喜歡用實例示範，到處驗證，讀不懂的同學要求再說，我就用不同的文字一次又一次地再說了。

博弈理論再起的源頭與盛行的兩個原因

這是為什麼我對今天新興的經濟學中有那麼多的無從觀察的術語有那麼大的恐懼感。博弈理論上世紀五十年代熱鬧過一陣，六十年代中期式微，八十年代初期再大事興起。如果搞博弈的同學考查那再起的源頭，一篇一篇文獻追上去，會發現這再起源於我一九六九年發表的《合約選擇》。該文是行內第一篇採用“卸責”或“偷懶”等無從觀察的理念來解釋行為，過了幾個月我知道不要再用。但阿爾欽與德姆塞茨一九七二年以“卸責”為主題寫企業組織，紅極一時，跟着是他們的同事提出勒索、敲詐，跟着是威廉姆森的機會主義，再跟着就是博弈理論了。那些術語一律是無從觀察的廢物！一位朋友說阿師謝世前幾年認為自己一九七二的《組織》大文是錯的。

雖然我認為自己提出的"卸責"觸發了一個壞路向，但不認為博弈理論今天的盛行與我有關。有關的是斯密。他的曠世巨著《國富論》指出自私給社會帶來貢獻，卻忽略了自私也會給社會帶來禍害。斯密動筆的年代工業革命在英國發展得如火如荼，他有理由樂觀地看人類社會的發展，尤其是美國當時是個新大陸，民主與人權的議題熱鬧，消息傳到斯密那邊他聽得開心。如果斯密當年見到的世界像今天的，《國富論》的論調會大為不同。

自取滅亡要從租值消散看

今天我們知道人類有自取滅亡的傾向，而我不懷疑有一天人類會毀滅自己。但我認為要解釋人類互相殘殺，從經濟學的角度看，博弈理論不會有作為。無從觀察的術語那麼多，該理論只能用以說故事吧。今天的世界，人類到處互相殘殺。我認為以經濟理論分析人類的悲劇，可以走得通的路，只有從交易或制度費用那方向走，而其中最重要的有關理念是租值消散了。

第五節：《經濟解釋》的前途

我認為除了解釋行為或現象，經濟學沒有其他可取的用場。可惜經濟學的傳統對解釋現象沒有多大興趣。六十六年前施蒂格勒在一篇很長的鴻文中大聲疾呼，其實是破口大罵。可能跟施兄有關，經濟學大約有二十年走解釋的路走得有點看頭，影響了我。施兄學富五車，文采冠絕行內，可惜他寫的解釋市場現象的文章，因為對事實的細節知得不足而頻頻失誤。我在《經濟解釋》中直接或間接地修正了他的很多分析。這裡我要表達我欠着他。

為了要近距離觀察中國，一九八二年回港任教職，遇到的學術環境彷彿是從天上掉了下來。實地考查的習慣被指為不務正業，用中文下筆被指為不是學術，英語文章發表不需要通過評審被指為因為朋友關係，不能算。是的，有一年，香港某政府機構設立一個委員會來評審大學教師的學術水平，我拿零分，是個紀錄。（奇怪沒有公布，而該委員會跟着被撤銷了。）對這些責難我當年怎樣回應很搞笑，這裡不說為妙。

自由發揮是文章傳世的原因

西方的朋友可不那樣看我。一九六九年的春天，我跟科斯一起駕車從溫哥華到西雅圖，途中他說我有機會成為另一個馬歇爾。他知道我已經接受了西雅圖華大的合約，認為我留在芝大發展會較好。今天回顧，選華大不一定錯。當時初出道，到了華大三個月那裡的大教授們一致投票通過要升我為大教授。不是我要求的。名頭對我毫不重要，重要是當時的系主任諾斯與院長貝克曼分別對我說，我不需要發表任何文章，教多教少與教什麼科目，一律由我自己選擇。留在芝大他們也會給我同樣的自由，但那裡的氣氛過於緊張，對學術研究過於重視，不會適合我這個喜歡獨自遐思的人。

在除了思想什麼都可以不做的環境下，七十年代我發表的一系列文章，今天還傳世，還有人引用，在不少大學的讀物表還可以見到。為了應酬而寫的不成，研究金指定要寫的特別題材不成，被迫而寫的更不成。但為了滿足自己的好奇心而動筆的，傳世四十年以上的命中率近於一百分。巴澤爾為此嘖嘖稱奇。如果當年我的創作際遇是今天中國內地的大學的環境，我不可能寫出一篇足以傳世兩年的學術文章。

當年在華大，諾斯、麥基與巴澤爾三位認為我是他們知道的一個可以全面革新經濟理論的人，加上這些年科斯屢次要求我把他稱為“好”的經濟學在中國再搞起來，我見自己無所事事，就嘗試搏他一手。其實我也想知道自己可以寫得出的最好作品是怎麼樣的。我可沒有想到，經過了十六年《經濟解釋》終於修改完。因為《解釋》的深度與重量遠遠超過我在華大時的所有作品加起來，歷久傳世應該不用擔心，雖然我不會見到。

《解釋》在中國的前途

《經濟解釋》可以把科斯要求的“好經濟學”在中國搞起來嗎？夠“好”應該沒有問題，因為今天的《解釋》比四十多年前科斯說我的好經濟學好很多。難讀得懂是問題嗎？同學們一般說難，非常難，但兩年前我有機會見到一些同學評論《解釋》的文章，皆顯示作者的理解不俗，而一位名宋礎良的同學讀懂約八成——餘下兩成可能需要長時日。礎良攻數學，卻讀懂全不用數的《解釋》，顯示該作不是那麼深奧。從海外回歸的後起之秀呢？他們多半不會教《解釋》，因為內容跟他們從西方學得的合不來。但他們不會反對學生讀《解釋》，作為課外讀物學生可跟老師教的比較一下。

我認為變化多、用場廣的經濟學不容易在今天的中國搞起來，跟其他需要多用想像力的學問一樣，主要是因為中國目前的大學制度。授課考試公式化，教職高下數文章，寫論文講規格，學術氣氛壓下，思想、言論框框無數。這樣的環境會壓制着像我當年那種思想飄忽無常的學生，學問上的爭議與思想的衝擊因而不能在同學與老師之間搞起來。是的，今天中國的大學，不會收容像我當年那樣的學生。別的不說，什麼高考或公開試我不會考及格。這些試要求的答案是老師們認為是對的，我不會猜中是些什麼！

另一方面，我認為對《經濟解釋》的前途最有利的，是神州大地的父母會重視大學的老師教他們的子女這本書。可以解釋市場運作、可以推斷經濟發展的學問，不可能沒有廣泛的市場價值，父母們不會不知道。不需要把《解釋》學得很深入，只知大概對世界的看法當會不同。這是有實用性的經濟學的主旨了。

跟前輩教的有了分離

我是個崇尚古典與新古典的經濟學傳統的人。拜讀他們的作品是半個世紀前的事了。今天回顧，在經濟學上的取向我跟前輩教的有五個地方不同。

一、重視觀察的真實性。無從觀察的術語或變量，可以不用我一概不用。

二、重視交易或制度費用。這些費用，認為解釋某些現象不重要不引進，但不會不考慮，更不會假設這些費用是零。

三、重視現象細節。解釋行為或現象，必先考慮細節，務求獲得一幅完整的畫面。

四、重視合約結構。喜歡從約束競爭的角度看合約。市場的不同合約安排我喜歡先以件工合約來求其同，然後加進局限的變化來釋其異。

五、重視租值消散與減少這消散。喜歡用這些角度，加上適者生存，來處理均衡這個概念。沒有競爭不會有租值消散，所以這消散屬社會的交易或制度費用——通過這消散或不消散的角度看均衡，可以方便地把競爭的經濟內容加進均衡。

因為上述的幾處取向不同，從解釋行為或現象的角度衡量，我認為傳統的理論，不作上述的處理，發揮不出可觀的威力。不是要標奇立異，而是經過多年的耕耘與探討，我找到自己感到舒適的地方。這應該是弗里德曼說的我有自己的位置了。

結語：驗證科學的重點

原則上，事後解釋與事前推斷可以是同一回事。然而，我在本卷第四章第四節指出一個不應該漠視的要點：社會科學——例如歷史——採用的方法只能在事後解釋，不能在事前推斷。自然科學——例如物理、化學、生物學——的解釋方法是可作事前推斷的。這是因為自然科學的理論是公理性（axiomatic）——有時稱定義性（definitional）。二者皆屬武斷的假設。經濟學是社會科學中唯一採用公理或武斷假設的科學，因而引申出來的假說可以用事實驗證。可以驗證與可以推斷是同一回事。經過多年的思考，我成功地把經濟學的有推斷功能的公理性的武斷假設簡化為三項：需求定律、成本概念、競爭含意。因為是公理性，經濟科學就像自然科學那樣，有了事前推斷的功能。

這個簡單而又完整的理論結構讓出空間，使交易或制度費用較為容易地放進分析中，解釋或推斷世事的能耐因而大幅提升。這是我在一門學問上不斷耕耘逾半個世紀的主要貢獻了。

參考文獻

J. B. Say, *A Treatise on Political Economy*. Augustus M. Kelley, 1803.

A. Marshall, *Principles of Economics*. Macmillan, 1890.

R. H. Coase, "The Problem of Social Cost," *Journal of Law & Economics*, 1960.

A. A. Alchian and W. R. Allen, *University Economics*. Wadsworth Publishing Company, 1964.

A. A. Alchian and H. Demsetz, "Production, Information Costs, and Economic Organization," *American Economic Review*, 1972.

人就是為了要追求些什麼而活下去。追求思想傳世可能是無聊之舉，但比不上追求其他的更無聊吧。蘇子云：“泥上偶然留指爪，鴻飛那復計東西！”當年開始認真地讀書時，我在想，要是有朝一日我能碰到一點運氣，在思想創作上留下一些指爪，不管外人怎樣看，是給自己作了一個交代。

第六章：一蓑煙雨任平生

（按：二〇一五年十二月一日，我八十歲，科斯在美國創辦的學報 *Man and the Economy* 二〇一六年六月以一整期的文章為我打個招呼，當然是頌讚之辭了。該學報的主編王寧向我提出長達八頁紙的問題，要求我回答，都是關於我的已往典故。我動筆回答了三幾個問題後，認為過於零散，遂決定給他寫這篇不長的學術自傳。他第一個問題是問在中學時，我是不是個丙等學生。原文英語，作者自己翻為中文，順便作些修改。）

說我在中學時是個丙等學生是不對的。我沒有在中學的第一年升過級。後來一九五七到五九年我在多倫多補修過一些中學課程。在該市我遇到一位名叫王子春的人。知道加拿大不會有大學收容我，他協助我申請美國的大學。這樣，一九五九年的秋天我進入了洛杉磯的加州大學，近二十四歲，成為一個超齡的本科生。該校當時對超齡的申請者有格外寬鬆的取錄準則。

第一節：引言

沒有機會再見到子春是我深深的遺憾。七年前，我有機會見到他的弟弟子輝，知道子春已經謝世了。我欠子春實在多，因為他相信我。他認為雖然我超齡而又沒有大學收容，只要有機會，在學問上我會超越他認識的所有正規成長的學者。

我抱歉在洛杉磯、芝加哥與西雅圖那二十三個年頭，很少與子春聯繫。那段時期我忙於讀書與研究，研究與讀書。最後一次跟子春聯繫是一九八二年，我寄給他剛出版的《中國會走向資本主義的道路嗎？》那本小書。他回信說那是一位大師的作品，而如果我的推斷準確，將會名留青史。

第二節：在荒野長大

童年時，自己有興趣的玩意我一律比其他孩子優勝。但我是不幸的。雖然出生於一個富裕的家庭，剛滿六歲日軍佔領了香港。一九四二年我的母親帶着她的十個兒女中的七個逃難到中國內地去。我們是難民，經歷了三年的饑荒日子。這裡那裡母親把我放進學校，每一兩個月要轉校，哪個課室有空位就把我放進去，是哪一級沒有誰管，也沒有選擇。一九四四至四五那一整年，我沒有機會吃過一碗飯，晚上在廣西的一條貧困的小村落的一間土房的地上睡，日間在田野遊蕩，偷取那些貧苦農民的什麼東西給自己和妹妹吃。

那時，因為營養不足，我的手與腳開始腐爛。一位醫生對我的母親說妹妹和我不會活下來。但母親是個勇敢的人，她決定讓我背着妹妹在荒野覓食。她認為這樣搏一手總要比沒有機會生存優勝。奇蹟地，妹妹和我今天還活着。

在那可怕的歲月中，有兩件事給生命一點意思。其一是在那沒有紙筆的小村落，有一位也是逃難來的曾經是教中國古文的老師。他帶着幾本古文與詩詞的書，晚上我替他找到些枯枝生火，他喜歡藉着火光朗誦。很多個晚上他這樣朗誦，不到一年我記得不少古文與詩詞。後來一九八三年底，開始用中文動筆時，我把古文與白話文合併的風格獲好評。很多中文字我不懂得怎樣寫，因為我的中文是聽回來而不是讀回來的。一個講座教授需要僱用外人修正別字是好些年香港的街坊閑話——這可沒有阻礙中國內地的一些大學老師要求學生閱讀我的中語散文。後來我索性學習中國的書法。雖然五十五歲才開始學，今天我的書法作品在拍賣行出售，收到的錢捐出去。相宜的，但賣得出去。

第二件事是在田野流蕩了一年，我對中國農植的認識掌握到一手的資料。後來在一九六六年的秋天，用中國的農業數據驗證佃農理論的多個假說時，我對那些數據的闡釋顯示着的洞察力與想像力，使老師阿爾欽（Armen Alchian）與芝加哥大學的兩位約翰遜（Harry Johnson 與 Gale Johnson）大聲叫好——後者竟然邀請我在芝大教了一科農業經濟。這些農業數據的闡釋可見於一九六九年在芝大出版的《佃農理論》的第八章。沒有在那廣西的貧困小村饑荒過一年，該章不可能寫出來。

第三節：學校的失敗與街上的成功

一九四五到五四年，我讀過三間學校。一間是廣州近郊的佛山華英附小，其他兩間是香港的灣仔書院與皇仁書院。這三間都是有名的老字號，我的表現在三間皆劣等！然而，這三間的每一間都有一位老師不管我的失敗，對我說有朝一日在學問上我會走得很遠。一九八二年回到香港大學作經濟學的講座教授，我找到兩位當年在香港教我的老師——灣仔書院的郭煒民與皇仁書院的黃應銘——感謝他們在我求學失敗之際給我的鼓勵。當我在二〇〇五年找到那位在佛山華英附小的呂老師的所在時，卻聽到他在二〇〇三年謝世了。我欠着這個人，因為一九四八年他不給我及格時，對我說將來在某時某地，我會以思想知名，超越了他認識的所有學者。在我離開華英之前，呂老師帶我到校園的一個靜寂的角落，要我跟他一起坐在一塊石板上，向我解釋，説我讀書失敗是因為我想得過於奇異了。他説華英附小沒有老師可以教我，包括他自己。但他猜測將來在某個地方我可能遇到一個可以教我的人。當時是亂世，共產黨快到廣州，很多人都在逃。我也如是，一九四八年從廣州回到我出生的香港。我十二歲。

當年我在學校的失敗可能被街頭巷尾的成功抵銷了。十一歲我是廣州的中國跳棋冠軍；十五歲，為了要賺點零用錢，我可以閉目跟三位下象棋的人一起對弈三局。一九五二年我教一位比我年輕三歲的沒有學校收容的孩子乒乓球，這個徒弟一九五九年在匈牙利獲得世界乒乓球的男子單打冠軍。在香港我以釣技雄霸筲箕灣海域，以彈珠子與擲毫雄霸西灣河的沙地，以放風箏雄霸天台，而奧背龍村的山頭飛鳥都給我捉光了。一九五五年，十九歲，我拿起一部攝影機，第一天嘗試就攝得兩幀作品入選香港沙龍，而且兩幀皆刊登在該年的國際攝影年鑑上。只在學校我失敗。但因為有街上的多項成功，我不認為自己是個失敗者，很想知道需要做些什麼才能東山再起。

第四節：父親的鼓勵

我的父親只有機會讀過兩年書。憑自修他的中、英二文都寫得漂亮。他不愛説話，有自己執着的原則，是香港工業發展初期的一個有成就的商人。父親謝世後，香港的電鍍行業把他的誕辰稱為師傅誕。作為一個大家庭的父親，他很少在我童年成長時跟我説話。他一九五四年謝世，我被逐出校門的那一年。我十八歲。

父親謝世前兩個月，召喚我到他入住的醫院的房間去看他。那是第一次父親與兒子的認真談話了。只有他和我兩個人。他説歷來知道我在學校的成績差，因為生意忙碌，他抽不出時間教導我，表示歉意。他說曾經放棄了我這個幼子，認為沒有希望，但他是改變了這想法。他說一年來他邀請了知道我的人去見他，問了很多關於我日常做些什麼，得到的觀點是我是他平生知道的最有前途的青年。

最後父親說："在學校讀書不成不代表事業的終結。醫生們說我只有幾個月的生命。我離開後你要到我的商店工作、學習，等待另一個機會再去爭取學問。你要記住，我平生最敬重的是一個有學問的人。"

三年後這另一個機會出現了。我為父親遺留下來的生意，花了二十多天的旅程到加拿大多倫多去，為的是要跟該市的一位鎳條出口商討論鎳條進口香港的問題。因為美國的壓力，當時鎳條不能運到香港。兩天後我想出解決的辦法，多倫多的出口商接受。但那時，我決定不回香港，默許地放棄了父親的生意我應分得的權利，換取每月一百加元的生活費資助。在多倫多我求學無門，在掙扎。一年後我遇到王子春。當時二十二歲。

第五節：在學校為何失敗

今天，作為一個老人，回顧已往，我不難解釋為什麼早年我在學校失敗。兩個原因是明顯的。其一是在戰亂逃難期間，我慣於在荒野流蕩，而戰後我繼續這樣做。我喜歡逃課，獨自在田野間漫遊，或在海旁靜坐，或垂釣，或遐思，或什麼也不幹。當其他孩子放學時，街上的遊戲又熱鬧起來了。第二個原因，是當年我在課室上提出問題，老師往往給我處罰，認為我問的與老師教的不相干。大多數的老師對我仇視。這跟後來我在美國求學時的際遇不同。一九六二年的秋天的一個晚上，第一次旁聽赫舒拉發（Jack Hirshleifer）的課，我提出一個看來是與教的不相干的問題，赫師立刻站起來，問我的名字。當在學生名單上找不到（因為我是旁聽生），他細心地寫下，問清楚"張"字的拼法。他跟着奔走相告，對同事說他見到一位想得奇異的來自中國的學生。

第六節：從阿倫（William Allen）到阿爾欽

在洛杉磯加大讀本科，起初我選主修商科。過了不久我認為會計很沉悶。另一方面，教經濟第一科的阿倫教得精彩，我就改選經濟作為主修課程了。二十四歲，比同級的同學我超齡很多，知道自己是到了要拼搏的時候。我合共選修了五、六科阿倫教的。教經濟史的史高維爾（Warren Scoville）鼓勵我考慮進入研究院。他沒有王子春對我的本領估計得那麼誇張，但幾次他要我聽清楚：如果我嘗試讀博士我會走得很遠。

若干年後，西雅圖一位同事對我說史高維爾不是阿爾欽的親密朋友，但史老師對我說如果我進入研究院我要追隨阿爾欽。他說阿爾欽是世界上最優越的幾個經濟學者中的一個。因此，一九六一年本科畢業時我的研究院選擇只是洛杉磯加大，不作他想。阿爾欽當時造訪斯坦福，我要等他回校。本來我打算獲取碩士後回到香港去，但一九六二年獲碩士後阿爾欽還要多一年才回校。我因而決定改讀博士，而在等待阿師回校的那一年中，我多作旁聽、閱讀、思考。多了一年的等待與準備，而所有修過的高級課程皆名列前茅，到阿師回校時我的準備是足夠的。

第七節：研究院的老師

碩士那一年，教我理論的老師是鮑特文（Robert Baldwin）。他教馬歇爾（Alfred Marshall）、魯賓遜夫人

(Mrs. John Robinson)、希克斯（John Hicks）與薩繆爾森（Paul Samuelson）的作品。鮑特文說我是他教過的最好學生。等待阿爾欽，我旁聽赫舒拉發的課。赫師教費雪（Irving Fisher）與弗里德曼（Milton Friedman）。我重複赫師的課六個學期。在他的課我成為一個明星學生，因為赫師喜歡要求我提問或回答。這樣，他的課有時成為他和我兩個人的對話。赫師沒有對我說過我是他教過的最好學生，雖然他對他人這樣說。後來在寄往西雅圖給諾斯（Douglass North）的一封信中，赫師把我與費雪相比！

我要特別說一下當時加大研究院的另一位老師布魯納（Karl Brunner）。布老師初時不喜歡我，但後來改變了，寄到西雅圖給我一封大讚我的文章的信。布老師是我知道的對邏輯要求最強烈的經濟學者。雖然在洛杉磯加大時我認為他的邏輯要求是過於誇張，後來自己的發展使我愈來愈欣賞布魯納的邏輯思考與要求。我遺憾自己一九六六年寫佃農作為博士論文時，布老師已經離開了加大。

我不同意布老師的思考方法，從思考的起點就堅持要通過嚴謹邏輯那一關。我喜歡先讓預感或直覺走一程，讓某些假說浮現出來。當然，進入了分析與辯證時，嚴格的邏輯一定要引進。解釋一個現象我喜歡考慮幾個不同的假說，讓思想自由浮動，然後選擇一兩個假說作嚴格的分析。我的作品展示着的嚴謹邏輯是源於布老師的影響。

第八節：沒有誰鼓勵我學數

在洛杉磯加大我沒有修過一科數學或統計學。我是該校最後一個沒有選修過微積分而獲得經濟學博士的人。作本科生時，我問阿倫老師，數學與歷史之間，我應該選哪方作為副科，他建議歷史。今天回顧，那是上佳的建議，可見於我後來的經濟學作品一律有着豐富的事實內容。在研究院沒有老師要求我學數，而我自己覺得有需要時我可以容易學。得到朋友的協助，我花了兩個星期自修微積分，用以證明佃農理論的幾個要點。但引進數學之前我知道該理論是對的，用上的方程式只是為了粉飾櫥窗。博士後有一段時期我發明自己的數學，想着既然牛頓可以發明數學我也可以。但到了西雅圖同事西爾伯貝（Eugene Silberberg）說我的方程式雖然對，很難看，我就不再發明了。同事麥基（John McGee）與巴澤爾（Yoram Barzel）更不鼓勵我學數。他們認為既然我可以憑想像與直覺推理，用數可能壓制着一個想得奇異的有趣腦子。哈里・約翰遜讀了我的《佃農理論》的第八章後，懷疑統計學的回歸分析究竟有沒有用途。另一方面，一九七七年我為一家石油公司作顧問時，要用回歸統計來分析原油的質量與油價的釐定，巴澤爾給我上了兩課，畢業了。巴兄後來幾次對人說他沒有見過另一個人可以學得那麼多那麼快。

第九節：阿爾欽與赫舒拉發的入室弟子

回頭說阿爾欽，他教的經濟學全部是他自己的，沒有其他！當時我已經選修過所有研究院的理論課程，只能旁聽阿爾欽。一九六三年起我也旁聽了他六個學期。課堂上，阿師有兩個規定：其一是旁聽生不能坐在前面的第一排，其二是旁聽生不能在課堂上提問。我因而選擇一個靠近室門的座位。下課時，我跟着阿師離開課室，在步行到他的辦公室的五分鐘時間向他提問。初時他會反問我有沒有讀過某些有關的讀物，我答沒有，他不再說。為此我先作準備，到圖書館細讀跟我要提問的有關資料。阿師於是回答了，永遠是那麼有趣，那麼刺激。

這樣過了幾個月，阿師邀請我走進他的辦公室，約一年後他讓我坐下來跟他研討經濟。

一九六六年的春夏之交，在長灘，我寫好了佃農理論的第一長章，把文稿寄到加大給赫舒拉發與阿爾欽，然後駕車從長灘到洛杉磯加大問意見。我先見赫舒拉發，他把該章捧到天上去。跟着見阿爾欽，他交回給我的文稿滿是問號與修改，離別時我差不多流下淚來。

回到長灘的家，晚飯後我坐下來，細讀阿爾欽在文稿上的每一項質疑，到我全部消化時，看手錶，已是過了一夜的上午十一時了。我於是給阿師一封短信，答應下一稿將會有大改進。一個月後，我寄出了第二稿。過了幾天再到加大。先見赫師，他說："天才，史提芬，天才！"跟着見阿師，他只是說："將來你找工作要我寫推薦信時，我會說你可以想得清晰也寫得清晰。"

當我交出《佃農》最後驗證的第八章時，阿師要我聯絡台灣的有關當局，問清楚他們搜集農業資料的方法。當所有我引用的資料獲得阿師認可時，他只是說："我們一向知道你是可造之材，所以多給你壓力，現在你明白好的研究是怎麼樣的一回事。"我重視現象細節的習慣是源於這經歷的。

阿爾欽有小孩子的好奇心，提問像小孩子那麼簡單、直接。這是為什麼一九七六年的一次為祝賀阿師的會議中，我交出的文章以一個小孩子會問的為題：《優座票價為何偏低了？》。該會議休息時，我跟阿師的深交梅克林（William Meckling）一起喝咖啡。他對我說："史提芬，千萬不要改變你選擇題材的品味與分析的風格。你的品味那麼有趣，只有阿爾欽才可以教出這樣的一個學生。"

第十節：長灘與德沃拉克（Eldon Dvorak）

一九六五是我知道的最容易找經濟學教職的一年。該年初我還沒有動筆寫博士論文，就收到阿拉斯加、英國與澳洲三個地方的三間大學的聘用合約。我沒有給他們求職信，而他們沒有問我的讀書成績，沒有見過我這個人，就寄聘書來了。該年的秋天我選到長灘的加州州立大學作助理教授，主要是因為該校離洛杉磯加大只一個小時車程，讓我容易地跟阿爾欽及赫舒拉發討論寫博士論文。在長灘，我的大幸是跟德沃拉克共用一個辦公室。他是那位後來把美國西部經濟學會搞得龐大的人。到了長灘幾個月，德沃拉克就對同事們說，有朝一日，長灘大學會因為我在那裡教過而知名。當然是誇張之言，但對我沒有不利之處。一九六六年德兄和一些長灘的學生聯手，推舉我獲得加州十八間州立大學的最佳經濟學教師獎。對我有助，因為一個中國人在西方找教職，英語說得夠不夠好是問題，而該獎顯示我說的英語學生聽得懂。

在長灘每星期教十二課是頻密班次，德兄的職位高，維護着我，讓我先選授課的時間。一九六六年的初春，我從某刊物讀到台灣一九四九年引進的土地改革，把地主的分成率減到遠低於原來的，農業的產量因而大升了。聽來不成理，我於是走進圖書館，看看有什麼資料可以支持或否決台灣政府的說法。

該校的圖書館剛好有一整套《台灣農業年鑑》，其中有非常詳盡的關於台灣每個地區的每項農植的每年的每畝產量。我起初以為是台灣的政治宣傳，要示範他們的土地改革成功。但經過幾個星期的仔細審查，我找不到假造數字的證據：在分成租管下，台灣的農業產量的確是跳升了。我想，那麼詳盡的數字，很難說謊話而又不讓我找到矛盾的。

一九六六年三月的一個晚上，我坐下來，在白紙上首先推出自由市場的佃農分成率，然後引進政府的分成率管制。讓我驚奇是政府這樣管農業的產量竟然上升了。只一個晚上我推出這理論，再花兩天的時間反復審核該理論的每一點，找不到錯處。我於是邀德沃拉克坐下來，要求他細心聽我推出來的分析。我解釋得很慢，一步一步，每一步都停下來，等到他明白而又同意才繼續。過程中他提出很多問題，我會說："慢一點吧，德兄，慢一點。"每一小變我要求他清楚地明白。三個小時後，他說："史提芬，你這個理論將會引起地震。"

那是一個簡單的理論，近於淺顯，但不容易接受。一九六六年五月我在洛杉磯加大的一個研討會上解釋該理論，在座的數十位教授與研究生一律不同意。一九六八年十月，該理論的第一篇文章在芝大的《政治經濟學報》排在首位刊出，不少讀者提出異議。當時該學報的主編是蒙代爾（Robert Mundell）。他問我要不要回應，我說不要。

我會永遠開心地記着德沃拉克。一九六七年的春天，他替我在大學申請得五百美元的經費，在長灘的藝術博物館舉辦攝影個展。因為經費不足，他親自在家中的車房替我的攝影作品造畫框。後來該個展成為長灘藝術博物館歷來最成功的展出，當地的報章以頭條報導，不少參觀者從遠方來，而展期延長兩次。

第十一節：我與科斯（Ronald Coase）的交往

一九六二年，我影印了科斯一九六〇年發表的關於社會成本的文章，天天帶着，一遍一遍地讀，讀到紙張成為碎片。這是因為我不明白當時興起的外部性話題。是熱門的，奇怪當時我沒有跟阿爾欽研討，更奇怪是一九六七年我發覺科斯從來沒有聽過“外部性”這一詞。洛杉磯加大的教授都說他們知道外部性是什麼，但沒有誰可以回答得我滿意。因為不知外部性為何物，一九七〇年我發表《合約的結構》，一九七三年發表《蜜蜂的神話》，一九七八年發表《公損之謎》。這些作品今天在好些研究院的讀物表出現。

我對科斯一九六〇年的鴻文的深入理解觸發了一個有傳奇性的友情，很大機會在中國將來的經濟歷史有記載。始於一九六七年的秋天，我走進科斯在芝加哥大學法律學院的辦公室，介紹自己，說：“科斯教授，我的名字是史提芬•張，阿爾欽的學生，曾經花了幾年時間讀你的《社會成本》。”他坐着，在閱讀，抬起頭來，問：“我那篇文章是說什麼呢？”我答：“你是說促成合約的局限條件。”他站起來，說：“終於有人明白我了。我們一起去進午餐吧。”

第十二節：可喜的分配與科斯的錯失

能夠與科斯在芝加哥大學的校園一起漫步，研討經濟，是我平生追求學問的一個亮點。大家討論經濟學的將來，我說他一九六〇年的文章會改變經濟學。半個世紀過去，如果同學們不怕麻煩，在中國的網頁搜查，會發現我被譽為合約經濟學的始創人，科斯始創交易費用，而阿爾欽始創產權經濟學。我對自己分得的滿意，但樂意跟科斯交換。至於阿爾欽的產權思維，我認為不容易推出可以驗證的假說，所以愈來愈少用。然而，阿師在價格與競爭這些話題上的洞察力，是那麼漂亮、有趣，我是愈來愈多用了。選擇一個靠近課室門口的座位給我很大的回報。

一九八一年我動筆寫中國的去向時，無意間一腳踏中一個重要的發現：科斯一九六〇年的鴻文有一處大錯。那是如果交易費用是零（科斯定律的假設）不會有市場！後來科斯與阿羅（Kenneth Arrow）都同意這一點。然而，我要到約二十年後才意識到這發現非常重要。我是把租值消散算進交易費用之內才知道的。但我還要多等幾年，才推出一個漂亮的"交易費用替代定律"：市場的出現是源於一種交易費用（市場運作的費用）替代另一種（租值消散）。

第十三節：芝加哥學派

科斯在為我的英語論文結集寫的一個序言中，提到我在芝加哥時吸收了八位大師的思想，包括他自己的，加以伸延，佔為己有。那是芝加哥學派的頂峰時期，有一組經濟學人才的組合超越了歷史上的任何一組。我可以大膽地推斷這樣的一組人才是永遠不會再出現了。

但這芝加哥學派當時正在下降的邊沿。宇澤弘文（Hirofumi Uzawa）跟我同年（一九六九）離開芝大。蒙代爾一兩年後離開。跟着弗里德曼與戴維德（Aaron Director）退休。哈伯格（Arnold Harberger）轉到洛杉磯加大，格里利克斯（Zvi Griliches）轉到哈佛。哈里•約翰遜在芝大的時間不多。雖然後來替代的大師都了不起，但弗里德曼、戴維德、哈伯格這幾位的離開代表着一個思想範疇的終結。一個經典的思想組合是在那時破碎了。要建立一個有歷史意義的學派，把一組天才放在一起有其必要，但不足夠。當哈伯格勸我留在芝大時，他指出一九六七至六九期間芝大的經濟系的學者陣容從來沒有被超越，也恐怕永遠不會再出現。

在芝加哥，我是一個被一群巨人包圍着的小人物。跟一個非常好的同事麥克洛斯基（Donald McCloskey）共用一個辦公室，他教我怎樣寫好英文。我崇拜施蒂格勒（George Stigler）

的英語文采，要仿傚他的。施兄是天才人物，屬於商學院那邊。我喜歡到他的辦公室給他嘲弄一下。有一次，施兄走進我的辦公室，說（麥克洛斯基在旁聽着）：“史提芬，我擁有一個偉大經濟學者需要的所有條件，只是沒有創意！”我回答：“施兄，我這個人滿是創意，但其他什麼也沒有！”他知道我仰慕他。為了要他知道我也有處理經濟思想史的本領，我寫了一長章細說佃農理論發展的思想史，詳細地從斯密跟蹤到約翰遜。施兄讀了該章的文稿後，我得意洋洋地去找他，對他說經濟思想史要像我那樣處理才對。他知道我勝了他一着，說：“但你說馬歇爾明白成本的概念是錯的。馬歇爾不懂成本。”他跟着到書架上拿下馬氏的巨著，翻開一頁，指出其中一句顯示馬氏不懂成本。是的，施蒂格勒不僅是個天才，他是我有幸認識的幾個超凡學者中的一個。

第十四節：弗里德曼

雖然弗里德曼後來成為我的深交（他與太太羅絲飛到西雅圖主持我的婚禮），在芝大時，因為太忙他沒有給我多少他的時間。弗里德曼教我一個經濟學者的靈魂之價應該是高的，所以不要說自己不相信的話。阿爾欽給我在地上劃了一條線，約束着一個經濟學者應有的界限：可以提出政策建議，但不要跨越該線去從事政策活動。我為自己能在整個追求學問的過程中，沒有一次違反過弗里德曼與阿爾欽在這些方面的指導，感到驕傲。

我也應該提到在多倫多時，我作過幾個月的燈光人像攝影師，有職業水平的。在洛杉磯加大作研究生時，有一組在加州南部喜歡搞藝術攝影的拜我為師，發展出一個新的有趣風格。一九八八年的秋天，在香港，我為弗里德曼攝了一幀燈光人像。他非常喜愛，立刻說他永遠不會給媒體另一幀他自己的照片。言而有信，我給他攝的今天隨處可見。我也給他的太太羅絲（Rose）攝了一幀，他和她一起攝了一幀。有網頁擴散着這些攝像，弗老夫婦和我的友情將會傳進將來的歷史去。當然，歷史也可能記錄着一九八八年我帶弗老與羅絲到北京會見一位總書記，一九九三年再帶他們到北京會見另一位總書記，但從歷久傳世這方面衡量，這些跟總書記的會面比不上我的攝影與一對傳奇的夫婦。

第十五節：奈特（Frank Knight）與戴維德

一九六八年，在蒙代爾家中的酒會，我有機會見到奈特，立刻向他表達自己的仰慕之情，也對他說他一九二四年發表的關於社會成本的文章，深深地影響了我。我不明白為什麼瑞典的諾貝爾委員不給他那個獎——該獎在經濟學推出後奈特還有幾年才謝世。我自己有一項很大的榮譽。那是在《維基百科》的"奈特"那一項，說奈特影響了五個經濟學者，弗里德曼、布坎南（James Buchanan）、科斯、施蒂格勒、張五常。

除了科斯，芝大的法律學院還有戴維德。戴老對真理的堅持使我見而生畏。他的智慧簡直有摧毀力。一九六九年的春天，我在施蒂格勒的工作室提供《合約選擇》的文稿作討論。過了一天，我在芝大的教師餐廳獨自吃午餐。見戴老慢步走來，我立刻禮貌地站起。戴老說："你昨天的文章是我幾年來讀到最好的。"然後他轉身離開。我獨自站着，禁不住流下淚來。戴老喜歡我的作品。這是為什麼我的經濟學文章的風格與特性歷久不變的一個主要原因。

在洛杉磯加大作研究生時，我對戴維德的捆綁銷售的口述傳統知得很熟。事實上，是捆綁銷售的知識使我在一個晚上把佃農理論推出來。起碼有三本書說我的佃農理論是科斯定律的伸延，可能對，但真正觸發了該理論的破案關鍵，是捆綁銷售。

回頭說那天晚上在長灘，使我感到困惑的是傳統的市場分析必定有一個量與一個價，但分成合約卻沒有價。我因而想到那分成合約必定有其他條件的指定才能運作。這是說，分成合約一定有一個結構。捆綁銷售的合約明顯地有一個結構。這樣推理，我需要做的只是在分成合約中多加一個條件，立刻找到在均衡點上分成合約跟固定租金合約與工資合約相同。

好些年後我在西雅圖巴澤爾的家跟戴老進晚膳，膳後他問我怎樣看他提出的關於捆綁銷售的假說。我回應說把紙卡捆綁着電腦的租用，闡釋為以紙卡的用量來量度電腦使用的頻密度，是天才之見，但跟着說是為了推行價格分歧卻是錯的。電腦的月租所有用戶一樣，紙卡之價也一樣，何來價格分歧呢？如果價格分歧是從其他沒有訂價的特質算出來，那麼所有我們在市場購買的物品也可算出價格分歧了。我當時也對他說，傳統的以需求彈性係數不同來解釋價格分歧的理論，全部是廢物。

戴老跟着問為什麼萬國商業機器會用紙卡捆綁着電腦的租用，我說那應該是電腦的保用合約。把紙卡之價調校為略高於市價，電腦用得較為頻密的租戶是交了較高的保養費，而維修保養的本身卻是免費的。

第十六節：離開芝大到西雅圖

當一九六九年的春天我正式找學術教職時，我已經獲得八位大師的友情與指導。在洛杉磯加大我有阿爾欽、布魯納、赫舒拉發與鮑特文；在芝加哥我有弗里德曼、施蒂格勒、科斯與戴維德。沒有任何學生，不管是何時，不管是何地，曾經有這樣的幸運際遇。難怪巴澤爾一九九五年在一本書中提到："當史提芬一九六九年來到西雅圖時，以我今天之見，他已經是行內的產權及交易費用的第一把手了。"

科斯與一些朋友對我離開芝大感到困惑，而我不能說自己毫不惋惜。說芝大鄰近的居住環境不好是對的，而西雅圖有一個美麗的海。然而，我對研究工作是那麼熱衷地投入，這些不可能是我離開芝大的真理由。經過多年的回顧我終於明白，我離開芝大是要多些獨自思考的時間。芝大的工作室、外來的演講與文稿的評審實在過於頻密，而我喜歡的獨自思考是不要受到外人的影響。當然，每有新意我喜歡找同事研討，但思想時我要獨自魂遊。也是一九六九年，我決定不再讀他家的作品，想着一個人有閱讀的時候也有思想的時候，而思想時最好不讀。每有新意，我會求教同事這新意有沒有前人說過，很少遇到我自己想出來的不是原創。只有一次，當我寫好一篇關於人與人之間互動的文稿，一位同事說其中的一個要點布坎南與斯塔布爾賓（William Stubblebine）已經說過了。

第十七節：西雅圖十三年

一九六九年抵達西雅圖，我遇到巴澤爾這個重要的同事。巴兄有一個奇妙的腦子，可以在一個論證中找出最微小的錯失。當我想出一些新觀點，例行地找他討論，如果他不反對我知道自己是想得堅固了。在二〇一五年寫諾斯的悼文中，我表達了感激諾斯之辭，因為他維護我。那是不發表文章就要消失的時期，但諾斯與院長貝克曼（George Beckman）分別對我說該發表規則與我無干。我要做的只是自己的事，而正教授這個級別我到了華大幾個月他們無端端地給了我。當年我在西雅圖發表的一系列文章，今天一律成為經典。

在西雅圖我們有一組好同事與一些超凡的學生。我有兩位博士生，昂伯克（John Umbeck）與荷爾（Christopher Hall），天賦甚高。可惜我不是個可取的論文導師，因為讀他人的論文我的腦子老是流浪到很遠的地方，如果一個寫論文的跟着我的腦子流浪，他的論文會永遠寫不完。還有，在判斷上我作了一項嚴重的錯失，以為那麼容易就找到一個昂伯克與一個荷爾（是的，荷爾因為成績欠佳已經離校，我力排眾議，求他回來，然後要求同事們把他作為明星看），我以為還有很多像他們的會出現。後來證實我是妄想，像昂伯克與荷爾那麼獨特的學生我之後再沒有遇上。

需要特別一提的是我一九七四年發表的《價格管制理論》。不少人說那是我發表過的最重要文章，我自己可不那樣看。然而，每頁算，該文是我寫得最辛苦的。其實文稿我沒有完成，只是遺棄了。當時科斯為他主編的《法律經濟學報》催稿。今天回顧，我應該接受哈里·約翰遜的建議，把該文毀掉，然後由第一頁從頭再寫。但當時我確是耗盡氣力了。

這篇創新文章不是源於科斯的啟發——有些人這樣看——而是源於香港出現的天台木屋這個怪現象。當年香港二戰前的樓宇，在二戰後被管制着的租金只有市值的十分之一。那十分之九是無主租值，理應消散。然而，這應該消散的租值好一部分被租客的分租與天台木屋的僭建挽救了。減少租值消散的行為是爭取利益極大化的結果，有多種方法業主與租客可以嘗試，是在哪些局限下我們可以推斷分租與天台僭建這些行為的出現呢？我的價管文章提出兩個定理，讓我們推斷哪些減低租值消散的行為會出現。

巴澤爾在不久前提到，我在西雅圖那段日子是他和我的學術作品產出最豐盛的時期。在我這邊，用英文發表的無疑對。一九八二年回到香港任教職後，我的中語文章繼續邁進，直到二〇一四年底，而二〇一六年又把這重近兩公斤的《經濟解釋》再修了。懂經濟學而又懂中英二語的朋友認為，我以中文下筆的學術貢獻跟英文的貢獻是三與一之比。

在西雅圖十三年，要不是有兩項巨大的研究項目左右着，我的英語文章會多很多。第一項是研究發明專利與商業秘密的租用合約，得到可觀的研究金資助。可惜過於困難。我購得數百份租用專利與商業秘密的合約，但助手和我讀不懂內裡說的科技是些什麼，而請專人解釋的成本是太高了。第二項是巨大的石油工業的研究，屬反托拉斯的顧問工作。得到的資料絕對頂級，而我寫下的兩份厚厚的研究報告，關於石油的價格釐定與換油的合約安排，阿爾欽讀後說是他見過的最精彩的實證研究，可惜因為顧問合約的規定，皆不能發表。

第十八節：華盛頓學派

一九九〇年，諾斯在一本書中提到有一個處理交易費用的華盛頓大學路向，而我是該路向的始創人。可能因為這個說法，九十年代後期我聽到有一個“華盛頓學派”，或“華盛頓新制度經濟學派”。蕭滿章說該學派的獨特處是注意件工合約；巴澤爾會說主要是產權的分析；而諾斯會說是交易費用。

我怎樣看呢？要是真的有一個華盛頓學派，我認為其獨特之處應該是對租值消散的重視。租值消散這個理念始於十九世紀的范杜能（von Thünen），一九二〇年庇古（Arthur Pigou）以兩條公路示範，奈特一九二四年毀滅了庇古之說，戈登（H. S. Gordon）一九五四年引用於公海漁業。“租值消散”(dissipation of rent)一詞是戈登首先提出的。

當一九六九年的春天我再讀戈登的經典之作時，發覺他說的均衡點言不成理。我因而寫了一篇關於合約結構與非私產理論的文章，提供一個正確的租值消散的均衡分析。那是在我轉到西雅圖之前。在西雅圖，租值消散的繼續發展有如下幾項：(一) 在非私產或公共財產的局限下，有不少情況租值不會完全消散。因此，在某些情況下非私產有其可取處；(二) 如果市價不用作競爭準則，其他準則某程度必會導致租值消散；(三) 減少租值消散是個人爭取利益極大化的含意，所以分析政府管制帶來的效果應該從這途徑入手。我後來以此解釋中國昔日的等級排列權利是為了減低租值消散。離開西雅圖後我想到 (四)：交易費用一定要包括所有一人世界不存在的費用。租值消散不會在一人世界出現，所以租值消散是交易費用的一種。大約再過二十年我想到 (五)：市場的出現是源於市場的交易費用替代沒有市場必會出現的租值消散——這就是我曾經提出的交易費用替代定律。最後，記不起是何時看到的一個重點，(六)：如果在一個分析的均衡點有應該消散的租值，但沒有消散，該分析一定錯。

據我所知，沒有其他大學或學術組合對租值消散的分析有濃厚的興趣，但當年在西雅圖華大，我和巴澤爾及其他同事是慣性地討論。華大的經濟系當年還有其他不尋常的取向，例如同事之間喜歡驗證假說，漠視功用分析等，而租值消散這個話題更是當年的華大獨有。

第十九節：到香港觀察中國

離開西雅圖轉到香港大學作經濟學講座教授的決定，比離開芝加哥轉到西雅圖的決定更困難。科斯鼓勵我去，但諾斯認為留在美國我有機會獲諾貝爾經濟學獎。然而，受到阿爾欽與戴維德的影響，我追求的是真理，不是名頭，何況經濟學的諾獎很有點虛無縹緲，難以捉摸。我的母親年老了，要多看她；我歷來對炎黃子孫關心。在這些之上，一九八一年我寫好一九八二年出版的小書，肯定地推斷了中國會改走市場經濟的路。弗里德曼、貝克爾（Gary Becker）、舒爾茨（Theodore Schultz）等朋友皆認為我發神經，不可能對。我因而要到香港，近距離觀察中國的去向。

一九八二年五月我抵達香港，很快就知道我要放棄用英文寫作了。我當時沒有用中文寫過文章。作了一點準備後，一九八三年十一月動工，很快就出版了三本書：《賣桔者言》（一九八四）、《中國的前途》（一九八五）、《再論中國》（一九八七）。我下筆甚重，但善意明確。北京不僅不介意我的批評，他們提供助手協助。我要求什麼資料他們立刻老實地提供。讓我高興的是他們盜版，《中國的前途》與《再論中國》他們每本複印二千，內裡註明"內部閱讀"。在二〇〇八年出版的為科斯寫的《中國的經濟制度》中，我回顧了上世紀八十年代的大事：

沒有更好的時間，沒有更好的地方，也許沒有比我這個寫手更好的推銷員，在八十年代的中國推廣科斯的思想。那時，國內的意識大門逐漸打開：同志們知道他們歷來相信的不管用，要找新的去處。一九八二年五月，我獲任香港大學的經濟講座教授，那是當時跟進中國發展的最佳位置。我對科斯的論著了然於胸，而眾人皆知他是我的好朋友。我是個中國文化與歷史專家，同志們不能對我說我不懂中國——他們對外人例必這樣說。我可以用中文動筆，沒多久就寫出讀者認為通俗、風格鮮明的文字。這一切之上是科斯的原創思想，當時容易推銷。如果當時的中國像今天那樣，我是不會那麼幸運的。

首先是交易費用的思維。中國人在早前的制度中非常熟識那無數的瑣碎麻煩，例如要背誦口號，要排隊輪購，要搞關係，要走後門。他們每天要花幾個小時做這些事。當我說如果這些費用減低，收入會飆升，就是最頑固的舊制度維護者也難以應對。當時的交易費用奇高，怪事天天有，這些大家都清楚，但我需要時間與多篇文章才能說服中國的朋友，如果制度不改，交易費用不會下降。這方面，應歸功於我。

要改為哪種制度呢？不容易說服。我一九七九的文章指出的觀點：市場價格是唯一不會導致租值消散的競爭準則，那些慣於排隊數小時的人不難明白。然而，當我指出市價只能用於私有產權的制度，同志們不易接受。私字當頭，在中國的文化傳統裡沒有半點值得尊敬的含意，而私有產權更是直接地違反了北京對社會主義或共產主義的執着。

在這重要關鍵上，科斯的資產權利需要清楚界定這個思想大顯神功。作為當時的經濟科學推銷員，我知道同樣的產品有了個新的包裝。一九八八年的秋天我帶弗里德曼夫婦會見當時的中共中央總書記時，趙先生急於向弗老解釋資產權利界定的重要。這對話有存案，在好幾個地方發表過。成功地推銷科斯的經濟觀給總書記也應歸功於我。

第二十節：終於寫出巨著

今天算，我用中文寫下約一千五百篇文章，其中不少結集在約二十本書中。散文隨筆與經濟分析約一半一半吧。二〇〇〇年我從香港大學退休，以中文動筆寫一部巨著：《經濟解釋》。加上今天應該是最後的修改，這項巨大工程歷時十六年，從三卷變為四卷再變為五卷了。有兩個觀察促使我這樣做。其一是四十多年前的舊作今天不少在西方的研究院的讀物表出現；其二是一九六九年在芝大出版的《佃農理論》那本小書，當時只賣幾塊美元的，今天沒有用過的在網上叫價二千美元，用過的也叫八百美元。自己爭取了那麼久的思想傳世，這幾年開始體現，所以我要把這本《經濟解釋》從頭再修一次。

人就是為了要追求些什麼而活下去。追求思想傳世可能是無聊之舉，但比不上追求其他的更無聊吧。蘇子云："泥上偶然留指爪，鴻飛那復計東西！"當年開始認真地讀書時，我在想，要是有朝一日我能碰到一點運氣，在思想創作上留下一些指爪，不管外人怎樣看，是給自己作了一個交代。

寫《經濟解釋》的意圖始於一九六九。當年到香港度假，發覺自己不能解釋無數的瑣碎市場現象。我想，師友同事已經舉我為一個頂級的價格理論專家，怎會那麼不成氣候了？一個物理學的本科生不會有這樣的尷尬。從寫《佃農理論》的經驗我知道經濟學可以解釋或推斷人類行為帶來的現象。明顯地，經濟學的整體需要徹底地大修。

在西雅圖，諾斯、麥基、巴澤爾等同事也一致認為需要徹底大修。他們都指着我為處理這項巨大工程的適當人選。想不到，從一九七〇年起，這工程會持續到今天。我曾經說過，可以解釋人類行為的經濟學只有幾個要點。驗證假說要重視可以觀察到的事實；理論要簡單才能處理複雜的世事，也才能把交易費用放進去；解釋任何現象我們要考查跟該現象有關的細節。

在《經濟解釋》中，我分析的現象皆從真實的世界獲取，假說的驗證到處都是。傳統分析的價格分歧、捆綁銷售、全線逼銷、傾銷、財富累積、訊息費用與覓價行為、貨幣制度、國家的存在等，我選走的解釋路向皆與傳統的不同。我甚至指出在好些情況下邊際成本曲線畫不出來，而均衡這個理念要從適者生存這個角度看。

第二十一節：生命的凋謝與博物館的構思

今天我八十歲，走進了生命的黃昏。回顧平生，我不可能活得更豐富。我用心地思考經濟五十七年。沒有科斯那麼久，但夠久了。那麼多年到處觀察，找尋資料，我弄得實在累。在那彷彿是着了魔的追求真理的過程中，我總要找些什麼可以分心的玩意來讓自己的腦子保持清醒。我於是嘗試攝影、書法、散文、收藏藝術品與文物。後者我的成就超越了自己的經濟學。為了表達高傲之情，我叫吳子建刻一個我寫書法時用的閑章：“不見古人”！這收藏的大成使我想到設立一間博物館，把門票的收入捐出去協助窮鄉僻壤的孩子讀書。我不能忘記年幼時我是他們其中一個，老是想着如果他們長大後有我的機會，他們也可以成為學者。這些年我在中國內地到過一些貧窮的村落，高興見到那裡的孩子的生活情況遠比我昔日在廣西的際遇好，但還是認為他們應該有較好的求學機會。

事情是這樣的。一九七五年，在西雅圖，我對巴澤爾說到香港度長假時我會考查香港的翡翠玉石市場，從實物本身的特徵來考查訊息費用。我不贊同當時盛行的以物價的方差或以人與人之間的訊息不對稱來分析訊息費用導致的現象。我要找訊息費用奇高的物品入手。翡翠玉石之後，我轉到產自壽山的田黃石、藝術收藏品，而上世紀八十年代中期起，中國的出土文物無數——皆訊息費用奇高的物品。

三個機緣的巧合促成我今天構思的博物館。其一是我的母

親有一個基金，提供足夠的錢作初步的可觀收藏。當年收藏品的價錢相宜。其二是我猜中如果中國能發展起來，收藏品之價會大升。這讓母親基金的藏品在市場換取其他的。其三是中國的出土文物是那麼多姿多彩，反映着一個偉大文化，我要設法為國家保存下來。

因為我集中於考查物品本身的特徵與訊息費用的關係，過了十多年我成為一個無師自通的中國文物與藝術品的專家，想出自己的鑑辨方法。這是為了興趣與學問的追求，究竟是不是真的專家我管不着。我只是機緣巧合，剛好在訊息費用這個話題下過工夫，剛好生活在人類的藝術文物最多姿多彩的地方，也剛好是中國的開放展示着她的光芒不可方物的已往。

母親當年的願望是把錢捐給教堂。但中國的農村少見教堂。我於是想到農村的孩子教育。沒有人相信我正在構思的博物館會有可觀的門票收入。但當年也沒有人相信我學經濟學會學得好。除了本章提到的師友，我是個沒有人相信的人。我的學問可信！

參考文獻

張五常，〈我的父親〉，香港：《壹週刊》，1991 年 1 月 25 日。收錄於《五常談教育》，2000 年 12 月，香港：花千樹。

張五常，〈佃農理論的前因後果〉，香港：《壹週刊》，2000 年 4 月 13 日。收錄於《The Theory of Share Tenancy 佃農理論》，2000 年 6 月，香港：花千樹。

張五常，〈求學奇遇記〉，香港：《壹週刊》，2005 年 6 月 16 日。收錄於《Economic Explanation 張五常英語論文選》，2006 年 5 月，香港：花千樹。

悼文兩則

(經濟學者長壽。想不到，我喜歡提到的阿爾欽與科斯，二〇一三同年謝世，相隔六個多月。前者九十八，後者一百零二。今天是二〇一六年，我把《經濟解釋》改為五卷，應該是最後的修訂了。這是象徵着一個思想範疇的文字終結，我相信這思想範疇會歷久傳世。科斯在世時屢次要求我把他認為是好的經濟學在中國搞起來。這方面我已盡我所能。

阿爾欽是我的老師，也是對我影響最大的經濟學者，二〇一三年二月十九日謝世，我的悼文二月二十六日在《信報》刊登。年齡也近百歲的師母聽到，要求翻為英語。其後我的兒子被邀請在阿師的追悼會上讀出幾段，再其後一份美國學報要刊登。科斯是我的深交，二〇一三年九月二日謝世，炎黃子孫的哀悼超越此前謝世的所有經濟學者，反映着大家知道科斯對中國的衷心關懷。我的悼文發表於九月十日，也在《信報》。)

悼老師阿爾欽

阿爾欽（Armen Albert Alchian, 1914-2013）謝世了。是不幸的巧合：二月十九日晚上我寫好《公司性質的思想發展》那一長節，文內分析阿師與德姆塞茨的貢獻，最後一段說阿爾欽還健在，九十八歲，但幾個小時後就收到朋友紛紛來郵，說阿師謝世了。這幾年朋友之間知道這一天會快來，因為六年多前起老師的腦子退化得很快，幾個月後他不能回覆我和太太的電郵。早些時，巴澤爾告訴我阿爾欽的記憶力很不妥。我幾番問研究醫學的兒子為什麼會是這樣，兒子幾次回答：“爸，阿爾欽是個很老的人呀，很老的人有幾種可能會是這樣的。”

這幾年不少朋友傳來美國的網頁，對阿師的評價皆高到天上去：世界最偉大的經濟學家；歷史上最傑出的價格理論家。最常見的是問：為什麼阿爾欽還沒有拿得經濟學諾貝爾獎？這些評語一般出自認識阿師的朋友，或是他教過的。我因而有這樣的感受：愈是接近阿爾欽的人，對他的評價愈高。這是違反了世俗的圖案吧。上世紀七十年代初期，在西雅圖，跟阿師很熟的 John McGee 和我舉他為天下經濟學者之首，使還沒有認識阿師的巴澤爾感到奇怪。後來巴兄認識阿師，過了一段時日，對我說阿爾欽名不虛傳。

阿爾欽是個從來不介紹自己的人，文章發表在哪裡無所謂。曾經在蘭克公司與他共事的阿羅（Kenneth Arrow）有這樣的回憶：一九五七年，阿爾欽寫了一篇足以震撼行內的關於成本與產出的文章——“Costs and Outputs”，被最大名的《美國經濟學報》取錄了，但當受到邀請為他的老師出文章結集時，就把該文交出去，推卻了大名學報。有誰可以這樣呢？我自己做不到，但受到阿師的影響，我不論學報的聲望，文章寫好就交給自己喜歡的編輯朋友。

不求聞達有代價。四分之一個世紀前阿爾欽在歐洲不是那麼大名。一九八五年，英國要再出版他們的經濟學百科全書，稱 *New Palgrave*，邀請我寫四項：公有財產、經濟組織（即公司）之外還要寫“科斯”與“阿爾欽”。被寫的經濟學家要有點名氣，也要在六十歲以上。該百科全書的編輯部嚴格地規限字數。“科斯”他們給我幾千字，但“阿爾欽”只給幾百。幾百字怎可以表達阿爾欽的貢獻呢？後來我對阿師道歉，解釋因為字數的規限我無能為力，他報以一笑，說："這不重要。"

要寫"阿爾欽"，我可以如長江大河，滔滔不絕。事實上，在中語文章我滔滔不絕地寫過阿爾欽。希望經濟學能在中文世界搞起來，讓阿師在神州大地名垂千古。同學們不要忘記，較早時我給香港讀者寫阿師，用的譯名是"艾智仁"。

一九六三年我開始聽阿爾欽的課，兩年後成為他的入室弟子。博士論文《佃農理論》是在他與赫舒拉發的指導下寫成的。我多次提及阿師的悉心教導，包括教我怎樣寫英文，這裡不再說了。要補充的是他教我治學要一絲不苟，要執着於解釋現象，要遵守作為學者的原則。

純為真理而追求、為興趣而思考的學者，經濟學行內不多見。是我之幸，阿爾欽之外我還認識幾個。然而，能從始到終都保持着一個小孩子的好奇心，我認識的只有阿爾欽一個人。

記得一次他從日本旅遊回歸，召我到他的辦公室，我以為有什麼重要教誨，原來他要我看一件他從日本帶回來的物品。是什麼呢？是一個小小的紙盒，內裡空無一物，用一張紙包着，其包法跟香港的低檔市場通常用的差不多。阿師顯然沒有見過，說："你看東方人多聰明，為什麼我們不知道可以這麼簡單地包的？"

我自己生長在香港西灣河的山頭，喜歡在街頭巷尾跑，知道的瑣碎現象無數，每次跟阿師談及，他總是興趣盎然，問長問短。例如我向他提出的在激烈競爭的市場出現的討價還價行為，他和我研討了多次。可惜十多年前我終於找到解釋後沒有機會向他細說端詳。我也沒有機會向他細說我找到的關於捆綁銷售與全線逼銷的解釋——以中文下筆是傳達的困難。要是他知道一定會像小孩子那樣左問右問了。

一九七六年，朋友為阿師的榮休舉行第一次聚會——敬仰他的人太多了，為他的榮休或什麼的而聚會起碼有四次。第一次我交出《優座票價為何偏低了？》，意圖推翻他一九六四年提出的關於玫瑰碗美式足球大賽的優座票價偏低的解釋，他讀後沒有説什麼。但三十年後的二〇〇六年，我寄他一本自己的英語論文選，其中有玫瑰碗與優座票價偏低之文，他回郵大讚該文——只讚該文！

阿爾欽的小孩子好奇心影響了我自己整生的經濟研究的取向。由他指導寫《佃農理論》時，在文中我提到一種英語稱為citronella（香茅）的植物，其產量在台灣土地改革初期急升，而我的理論清楚地解釋了為什麼這種香茅的產量急升。阿師對該香茅極感興趣，要我跟進種植的細節。

為了興趣與滿足好奇心而做學問是不能不管細節的。從出道到今天，我不重視政府或機構提供的數據，也不重視統計學的回歸分析，但重視細節。這主要是源於阿師的永遠像孩子那樣提問的影響了。不知細節經濟學難有趣味，而沒有趣味做學問沒有意思。

在個性上，阿爾欽和我是兩個很不相同的人。他謙謙君子，正如科斯寫他，一舉一動一言一行無不典雅。天下沒有誰會這樣看我！然而，阿爾欽是我敬重的老師，學不到他的典雅也學得他作為學者的操守：我們追求的是真理，責任是解釋，可以提出政策建議，但除了這些前面就畫着一條線，跨越就不是學者的行為了。這些年為了一點關心在中國改革的問題上我寫了好些文章，偶爾破口大罵，但阿師畫下來的界線我沒有跨越過。另一方面，儘管因為交易費用與權利界定的看法我多次提到科斯，但解釋的方法，細節的考查與不越線的操守，主要還是阿師教的。

當年在洛杉磯加大的經濟研究院，要找阿爾欽研討不容易。這使同學們覺得阿師有點不近人情。起初我也以為是，後來知道不是。如下故事是真實的。

一九六七年初我寫好了《佃農理論》的第一長章（是後來出版時的第二章加第三、四章的局部），突然收到香港的來信，說比我年長一歲的哥哥死了。我知道母親最愛這個絕對值得愛的哥哥，想母親一定傷心欲絕，於是考慮放棄論文，回港照顧母親。當時我在長灘大學作助理教授，駕車到母校找老師赫舒拉發，對他說哥哥的不幸，要回港照顧母親。赫師回應說我的論文進展得那麼好，放棄可惜，但他會與有關的委員考慮，讓我只憑那第一章拿博士。

那天下午去找阿爾欽，要跟他說上午我對赫師說的。阿師顯然知道我的來意，先開口，說："不要告訴我你的私人問題。"我於是什麼也不說，離開了。過了一天，我在長灘收到阿爾欽寄來的信，附着一張五百美元的支票，信上只有簡單的兩行字："這五百元你可以買糖果吃，或可聘請打字助手，快點把論文寫完。"那時五百元是我稅前的一個月薪酬，不是小賬。我還有什麼選擇呢？後來不到兩個月我把論文寫完，阿師說是奇蹟。今天我感到遺憾的，是當時不應該把該支票兑現，花了那五百元。要是該支票還在，讓子孫與同學們看看，是多麼值得驕傲的事。我知道阿師會說："史提芬，把支票拿出去拍賣看看今天值多少錢！"

羅納德•哈里•科斯

科斯（Ronald Harry Coase, 1910-2013）謝世了。我們不會為一個在地球上活了一百零二年多的人的辭別感到悲傷。我自己跟進着科斯的病況：幾星期前跟他通了電話，知道他的思想清晰依舊，但跟着病情反覆，希望與失望幾番交替，孤燈挑盡，一個學者可走的路是走完了。我認識的經濟學者奇怪地長壽。

終於有點遺憾

不悲傷，但非常惋惜：科斯終於沒有到中國來。一個熱愛着中國九十多年的人，認為炎黃子孫的天賦與文化皆獨步天下，但多災多難，落後貧困那麼久，心境難平，聽到他期望了那麼久的中國奇蹟終於出現，怎可以不到中國來看看呢？去年他近百歲的太太謝世，自己可以到中國來了。我對他說，既然沒有後人親屬，在哪裡謝世都一樣。

航空公司說沒有問題，護照過了期要再辦，我太太找到一間很舒適的賓館套房，也跟一些醫生朋友打了招呼。提到科斯，中國的朋友都站起來。我選今年十月大假之後，天氣可人，要到哪裡漫遊，哪些大學見些學子，到了中國再算吧。我知道他喜歡多見中國的青年，也知道中國不少青年很想見到他。美國的朋友說，每次科斯提到將要到中國，很興奮。可惜終於還有這點遺憾！

經濟學整體需要革新

一九六二年底我才拜讀科斯一九六一年發表的《社會成本問題》。該期的學報說是一九六〇，但為了等科斯的文稿，一九六一才面市。科斯說他趕稿趕得要命，但主編戴維德卻對我說，他知道那會是百年一見的經濟文章，多等幾年沒有問題。戴老認為絕大部分的文章不值得發表。

《社會成本》一文當時使我震撼，因為一九六二年我讀了很多關於外部性（externality）的文章，老是不明白，求教於幾位老師，他們怎樣解釋我也不明白。讀到科斯的《社會成本》，我對自己說，怎麼完全不是那回事了？外部性的諸多理論是搞什麼鬼的？經濟理論的結構豈不是錯得一團糟？

一九六八年，在芝加哥，科斯和我成為好朋友。我對他解釋為什麼我認為他的《社會成本》將會革新經濟學的整體。他很高興，後來一九九一年在他的諾貝爾演辭中提到我對該文的看法。多年過去了，真的有革新嗎？愈革愈差！這是我決定寫《經濟解釋》的一個原因。十多年前我花兩年寫了三卷本，因為事忙有好些地方寫得不稱意。目前的大修其實是再寫，三卷變為四卷，三十萬字變為六十萬字，兩年變為四年——是好是壞經濟理論的整體結構終於被我革新了。

不知為不知是大學問

科斯是個奇怪的人。我要到認識他之後才知道，他完全不知道"外部性"是什麼一回事，沒有聽過"externality"這一詞！為此一九七〇年我發表《合約結構與非私產理論》，長的，但內容其實只是說：蠢到死，沒有外部性這回事！當然屢受千夫指，但今天該文還在，還可在好些研究院的讀物表中見到，而千夫則不知何處去矣！做學問是過癮的玩意。

說到《社會成本》那篇大文，其實我認為科斯早一年發表的、寫同一話題的《聯邦傳播委員會》是更好的文章。去年我跟巴澤爾這樣說，他讀《聯邦》後來郵，說我對，天下到哪裡去找那麼好的經濟學文章？同學們要知道什麼才算是學問，跪下來拜讀該文吧。

主觀強有偏愛

我們不容易明白為什麼科斯對中國那麼偏愛，而作為信奉私產與市場的一代大師，他卻高舉中國的共產黨！（我有他的親筆信為證。）我自己不明白的，是行內的朋友喜歡把我和科斯連帶在一起。我和科斯相聚的時間其實短暫。一九八二年科斯榮休，《法律經濟學報》要集文作賀，我交去的《公司的合約性質》被放在前頭。一九八七年英國的 *New Palgrave* 經濟學辭典出版，寫"科斯"那項由我執筆。一九九一年科斯獲諾獎，我和太太獲邀到瑞典去，要我在一個諾獎得主雲集的宴會中，代替需要休息的科斯講話。害得我和太太花了三萬港元做晚禮服，指定要是怎麼怎麼樣的。我投訴，但邀請那方說："不會是浪費，你們還要再穿的。"到哪裡再穿呀？長長的燕尾，古怪的襯衣，一百年後我的孫兒的孫兒或可拿去拍賣。

一九八〇年十二月，美國經濟學會在底特律舉行年會，科斯約見我，大家在賓館喝咖啡的地方坐下來，他簡單地說："聽說中國有可能改革，你要回到中國去。"這是突如其來，我無以為對。過了好一陣，他解釋，說："沒有人懷疑你在美國的學術成就，但中國要改革，他們不會知道怎樣做才對。經濟制度的運作你可能比任何人知得多，又懂中文，他們不改無話可說，但如果真的要改你回到中國的貢獻會比留在美國的大。"我也無以為對。咖啡就是那樣喝完了。

楊懷康傳口信

過了幾個月，楊懷康說，香港前財政司郭伯偉囑他通知我，香港大學的經濟學講座教授之位將要空出，要我考慮。科斯知道，促我申請。一九八二年五月我到港大上任，坐在那裡我知道要放棄用英文動筆了。但我沒有用中文寫過文章，怎麼辦呢？

一九七九年十月我發表《千規律，萬規律，經濟規律僅一條》，用中文，由我口述朋友執筆，回應孫治方先生一九七八年十月發表的《千規律，萬規律，價值規律第一條》。我的《千規律》指出，在無數的決定競爭勝負的準則中，只有市價不會導致租值消散，而市價只能在資產屬私有的情況下才出現。該文沒有提到科斯，因為他從來不管租值消散。我自己要到多年後才成功地把租值消散與交易費用畫上等號，打開了另一個新天地。

林山木拍心口

一九八二年我的《中國會走向資本主義的道路嗎？》有中譯，但不是我譯的。該文多處提到科斯，介紹了他的交易費用觀與權利界定觀。但我還是沒有用中文寫過文章。後來決定試以中文動筆，是因為《信報》的林山木"拍心口"，說每篇的文字他會親自過目。

有山木站在旁邊，說不得笑，我一口氣地寫下足以結集為三本書的文章：《賣桔者言》（一九八四）、《中國的前途》（一九八五）、《再論中國》（一九八七），都寫得用心。令我高興的是北京"盜版"，把《前途》與《再論》每本複印了二千冊，蓋上印章說"內部閱讀"。《從科斯定律看共產政制》一九八四年一月發表，結集於《賣桔》。那三本結集的大部分文章皆或明或暗地牽涉到交易費用與權利界定。一九八五年，今天變為律師的侯運輝終於看出了玄機，說："其實你的文章來來去去都是說同樣的話，是嗎？"我回應："那是絕技，不要把我的秘密說出去。"

推銷思想要講法門

這就是問題。把市場經濟的運作正確地介紹給中國的同胞，有如把一種物品向他們推銷，要選哪個牌子及怎麼樣的包裝才有成效呢？整個二十世紀的信奉市場的經濟大師我差不多全都認識，知道他們樂意讓我用他們的名字。多年以來，影響中國的思想家差不多全部是西方名字。我要把哪位朋友的名牌打出去推銷呢？

我的老師阿爾欽被譽為產權經濟學之父，但他的重要貢獻是產權與競爭的關係，解釋起來不會一招打中中國需要改革的命脈。弗里德曼是自由經濟的頂級大師，但提到"自由"北京會說"我們也有"，何況該詞要從局限約束的角度看，解釋很麻煩。"私產"一詞當然不能用，就是"資本主義"也是北京朋友的大忌。科斯呢？他提出的觀點與角度夠新奇，有深度，也可以完全避開了當時在中國存在的意識形態之爭。我於是集中於交易費用與權利界定這兩項科斯的看家本領入手。

思想影響難以肯定

一九八五年我從上述的科斯路線指出，資產的所有權不重要，但資產的使用權與收入權重要，建議北京要讓所有權與使用權分離——後者要清楚地界定權利誰屬。一九八六年我在北京首都鋼鐵廠作了"兩權分離"的建議及解釋的講話，後來知道我離開後給幹部們罵個半死。但再過一年鄧小平先生又推出同樣的兩權分離的建議，說那是"中國式的社會主義"。是受到我的影響嗎？天曉得！

我不相信經濟學者有本領改進社會，更不同意改進社會是他們的責任。我認為經濟學者的職責只是解釋世事或現象，或者解釋怎麼樣的政策會導致怎麼樣的效果。這些，原則上經濟學可以推得很準確。這是科學。

我不是個改革者。然而，抗日戰爭時在廣西差不多餓死，死不掉對國家的關心無從掩飾。三十年來我寫下無數的政策批評或建議，也只不過是為了這點關心。如果我着重於北京的朋友接受我的建議，不會活到今天。我絕對不同意凱恩斯的看法，或不敢像他那樣高舉經濟學者，說什麼政治狂人只不過是一些死去了的經濟學者的思想奴隸。

一些北京朋友說八十年代中期起中國的幹部凡事收費是源於我一九七九發表的《千規律》。你相信嗎？幹部收錢需要我教你信不信！馬克思有影響昔日的中國嗎？我認為影響了採用“共產”一詞，但只此而已。我看不到毛澤東的思想與政策跟《資本論》有明顯的關係。是凱恩斯影響了政府大手花錢嗎？還是政府要大手花錢才捧出凱恩斯？

一個首選的實例

寫了這些近於題外話的話，為的只是要說一句中肯的判斷：如果歷史上真的有一個經濟學者曾經影響了一個重要國家的經濟——如果真的有——那麼科斯影響了中國是我首選的實例！他提出的使用權利要有明確界定的原則，在土地的使用上這些年在神州大地隨處可見，比我知道的所有其他地區都要明確。法律怎樣說是一回事，實踐如何是另一回事。不要忘記，人民公社的日子還算不上是歷史，如果依照歷史的時間表，中國的使用權利界定的轉變恐怕要用上兩百年！

渺茫的希望見到光了

今年六月，港大成立了不久的“科斯產權研究中心”的幾位朋友飛到芝加哥去拜訪科斯，一百零二歲的老人家還有魄力與智力跟他們傾談了四個小時。傾談中該中心的主事朋友問科斯：“你對我們這中心有什麼期望呢？”科斯想了一陣，說：“希望你們能產出幾個張五常。”

科斯很不滿意三十年來經濟學的發展，這幾年他屢次要求我把他認為是“好的經濟學”在中國搞起來。當然是他的一廂情願，希望渺茫。然而，這些日子我覺得機會不是零。幾天前遇到一位在北京大學唸經濟本科第四年的十七歲的女孩子，對我的論著讀得很熟，提問有水平。她說同學們都在讀我的《經濟解釋》。其他一些內地的大學都出現了類同的情況。只要中國的同學樂意讀，細心地讀，互相研討、爭議，堅持下去，科斯的希望會達到。我是用盡心機再寫《經濟解釋》的。

以愛傳世將成佳話

科斯謝世後，跟了他十五年作為助手的王寧給我太太電話，說科斯死前說他的遺物——書籍、書信、文稿之類吧——要全部交給我。但過了兩天王寧說，法律上出現了一些問題。如果拿到這些遺物，我會僱人整理好，找一間適當的博物館放進去。

中國的文化傳統說蓋棺可以論定。以我之見，一個明顯的定論是科斯的名字會寫進中國將來的史冊上。一定的，但不一定是因為科斯對中國改革的貢獻——思想貢獻永遠有問號。我肯定科斯會名留中國青史的原因，是他對中國衷心的愛，對中國人的真誠關懷，很多中國的青年學者知道，今天變得有口皆碑了。中國將來的歷史是由這些青年學者或他們的子子孫孫寫出來的。

以愛傳世是多麼美麗的故事！

人名索引
(Name Index)

Adam
(亞當)
130, 140

Akerlof, George A.
(阿克洛夫)
123-124

Alchian, Armen A.
(阿爾欽)
18, 30, 96, 106, 183, 185, 187, 192-193, 200-201, 208-209, 215, 221, 224-230, 232, 234, 237, 239, 245-249, 254

Allen, William R.
(阿倫)
215, 224-225

Aristotle
(亞里士多德)
95

Arrow, Kenneth J.
(阿羅)
54, 205, 231, 246

Baldwin, Robert E.
(鮑特文)
224-225, 235

Barzel, Yoram
(巴澤爾)
27, 51, 99, 104-105, 118, 143, 179, 183, 211, 226, 234-235, 237-238, 241-242, 246, 251

Becker, Gary S.
(貝克爾)
51, 103, 186-188, 239

Beckmann, George
(貝克曼)
211, 235

Bernanke, Ben S.
(伯南克)
162

Bray, James O.
(布雷)
32

Bremridge, John H.
(彭勵治)
156-157

Brunner, Karl
(布魯納)
225, 234

Buchanan, James M.
（布坎南）
94, 233, 235

Buck, John L.
（卜凱）
29-30, 37, 73

Buck, Pearl S.
（賽珍珠）
29

Castiglione, Giuseppe
（郎世寧）
127

Cézanne, Paul
（塞尚）
117

Cha, Chi-Ming
（查濟民）
58

Chai, Rong, Emperor
（柴榮 / 柴世宗）
127

Chen, Gu-yuan
（陳顧遠）
94

Cheung, Steven N. S.
（張五常）
73-74, 143, 193, 227, 232-233, 235, 243, 249, 255

Coase, Ronald H.
（科斯）
17, 25, 41, 49-51, 53-54, 60-61, 73, 87-88, 93, 98, 103-104, 128, 143, 181, 184, 199, 201, 205-206, 211-212, 214, 219, 229-231, 233, 235-236, 238-240, 245-246, 248-256

Confucius
（孔子）
95

Cowperthwaite, John J.
（郭伯偉）
141, 158, 252

Crawford, Robert G.
（克勞福）
193

Crusoe, Robinson
（魯濱遜）
43, 54

Darwin, Charles R.
（達爾文）
26, 28, 113

Dawkins, Clinton R.
（道金斯）
114, 117

Demsetz, Harold
（德姆塞茨）
58, 185, 193, 209, 215, 245

Deng, Xiao-ping
（鄧小平）
20, 55-56, 254

Director, Aaron
（戴維德）
41, 47, 231, 233-235, 239, 250

Dong, Qi-chang
（董其昌）
127

Du, Mu
（杜牧）
107, 190

Duterte, Rodrigo
（杜特爾特）
134

Dvorak, Eldon
（德沃拉克）
228-229

Eve
（夏娃）
130, 140

Fan, Kuan
（范寬）
115-116

Fisher, Irving
（費雪）
51, 72-73, 79, 82, 149, 152, 163, 170, 204, 225

Fogel, Robert W.
（福格爾）
27, 99

Friedman, Milton
（弗里德曼）
46, 51, 67, 73, 112, 128, 131, 136-137, 147, 150-153, 156, 158, 161-168, 173-175, 214, 225, 231-233, 235, 239-240, 254

Gates, Bill
（蓋茨）
84

George, Henry
（喬治）
34

Giffen, Robert
（吉芬）
202-203

Gordon, H. Scott
（戈登）
206, 237-238

Greenspan, Alan
（格林斯潘）
129, 160-161, 164

Griliches, H. Zvi
（格里利克斯）
17, 44, 231

Hall, Christopher D.
（荷爾）
236

Hansen, Alvin H.
（漢森）
149

Harberger, Arnold C.
（哈伯格）
231

Hau, Alfred
（侯運輝）
253

Hayek, Friedrich A.
（哈耶克）

150

Hicks, John R.
（希克斯）
151, 225

Higgs, Henry
（希格斯）
34

Hirshleifer, Jack
（赫舒拉發）
30, 223-228, 234, 247, 249

Huang, Miao-zi
（黃苗子）
114

Huang, Qifan
（黃奇帆）
66, 68-69, 71-72

Huang, Ying-ming
（黃應銘）
221

Hume, David
（休謨）
163

Jevons, William S.
（傑文斯）
151, 175

Jiang, Ze-min
（江澤民）
132

Johnson, D. Gale
（約翰遜）
25-26, 32, 221, 232

Johnson, Harry G.
（哈里・約翰遜）
93, 221, 226, 231, 236

Jones, Richard
（琼斯）
37

Kangxi, Emperor
（康熙皇帝）
100, 115

Keynes, John M.
（凱恩斯）
149, 162-163, 175, 204, 209, 255

Khan, Kublai, Emperor
（忽必烈）
126-127

Klein, Benjamin
（克萊因）
193

Knight, Frank H.
（奈特）
188, 193, 233, 237

Kwok, Wai-man
（郭煒民）
221

Lam, Shan-muk
（林山木／林行止）
253

Lenin
（列寧）
11

Li, Bai

（李白）
107

Li, Long-ji, Emperor
（唐玄宗李隆基）
107

Li, Shi-min, Emperor
（唐太宗李世民）
106-107, 126-127

Li, Yi-ning
（厲以寧）
150

Li, Zhi, Emperor
（唐高宗李治）
126-127

Lin, Justin Yifu
（林毅夫）
150

Lin, Qing-qing
（林清卿）
116, 126

Lin, Ze-xu
（林則徐）
100

Lincoln, Abraham
（林肯）
90

Louis XIV
（路易十四）
115

Lucas, Robert E.
（盧卡斯）
151

Luo, Guan-zhong
（羅貫中）
103

Ma, Jack
（馬雲）
132

Macartney, George
（馬戛爾尼）
97

Maitland, Frederic W.
（梅特蘭）
106, 143

Mao, Ze-dong
（毛澤東）
84, 87, 255

Marshall, Alfred
（馬歇爾）
25, 30-34, 36, 38, 43, 64, 73, 77-79, 82, 184, 202-203, 205, 211, 214, 232

Marx, Karl H.
（馬克思）
51, 80

Matheson, James N. S.
（馬地臣）
101

McCloskey, Donald
（麥克洛斯基）
231-232

McGee, John S.

（麥基）
179, 211, 226, 241, 246

McManus, John C.
（麥克馬納斯）
186

Meade, James E.
（米德）
169

Meckling, William H.
（梅克林）
227

Meltzer, Allan H.
（梅爾策）
162, 164

Mencius
（孟子）
95

Mi, Fu
（米芾）
114

Mill, John S.
（密爾）
29, 34, 37, 90, 143

Monet, Claude
（莫奈）
117

Mozart, Wolfgang A.
（莫扎特）
125

Mundell, Robert A.
（蒙代爾）
17, 46, 147, 163, 229, 231, 233

Newton, Isaac
（牛頓）
65

North, Douglas C.
（諾斯）
51, 103-105, 110, 143, 179, 211, 225, 235, 237-238, 241

Oi, Walter Y.
（大井）
136

Pareto, Vilfredo
（帕累托）
53-55, 139

Picasso, Pablo
（畢加索）
117

Pigou, Arthur C.
（庇古）
34, 237

Plato
（柏拉圖）
95

Poe, Edgar A.
（愛倫坡）
117

Pollock, Frederick
（波洛克）
106, 143

Putin, Vladimir V.
（普京）

134

Qianlong, Emperor
(乾隆皇帝)
96-97, 110, 115-116

Qin Shi Huang
(秦始皇)
106

Reagan, Ronald W.
(里根)
136

Rembrandt, H. V. R.
(倫勃朗)
115

Ricardo, David
(李嘉圖)
70, 141, 207

Robinson, Joan V.
(魯賓遜夫人)
77, 224

Rodin, Auguste
(羅丹)
117

Romney, Willard M.
(羅姆尼)
169

Rose, Friedman
(羅絲)
232-233

Rosen, Sherwin
(羅森)
44

Samuelson, Paul A.
(薩繆爾森)
149, 162, 179, 207, 225

Savage, Leonard J.
(莎維奇)
46, 73

Say, Jean B.
(薩伊)
202, 204, 214

Schultz, Theodore W.
(舒爾茨)
46, 51-52, 57, 239

Schwartz, Anna J.
(施瓦茨)
175

Scoville, Warren C.
(史高維爾)
224

Shiu, Gary
(蕭滿章)
169, 237

Silberberg, Eugene
(西爾伯貝)
226

Simonde de Sismondi, J. C. L.
(西斯蒙第)
28-29

Smith, Adam
(斯密)
25-29, 31-33, 37-38, 42, 63, 73, 101, 139, 163, 184, 198, 204, 207-208, 210, 232

Song, Chu-liang
(宋礎良)
212

Spence, Andrew M.
(斯賓塞)
124

Stigler, George J.
(施蒂格勒)
58, 103, 123-124, 210, 231-233, 235

Stubblebine, William C.
(斯塔布爾賓)
235

Stubbs, Reginald E.
(司徒拔)
154

Su, Dong-po
(蘇東坡)
100, 110-111, 120, 241

Sun, Guo-ting
(孫過庭)
116-117

Sun, Ye-fang
(孫冶方)
50, 253

Tawney, Richard H.
(陶尼)
29

Thatcher, Margaret H.
(撒切爾夫人)
50, 108, 156

Thomas, Robert P.
(托馬斯)
143

Tiebout, Charles M.
(丁波)
60-61

Trump, Donald J.
(特朗普)
128-129, 134-135, 140-141

Tsai, C. H.
(蔡俊華)
57-58

Tullock, Gordon
(塔洛克)
93

Umbeck, John R.
(昂伯克)
236

Uzawa, Hirofumi
(宇澤弘文)
231

van Gogh, Vincent W.
(梵高)
117, 126

von Thünen, Johann H.
(范杜能)
38, 77, 143, 237

Walras, L.
(瓦爾拉斯)
206-207

Walters, Alan A.

（華特斯）
156

Wang, Ning
（王寧）
51, 61, 73, 205-206, 219, 256

Wang, Xi-zhi
（王羲之／逸少）
126

Wen, Jia-bao
（溫家寶）
158

Weng, Fang-gang
（翁方綱）
117

Wicksteed, Philip H.
（威克斯蒂德）
77, 143

Williamson, Oliver E.
（威廉姆森）
88, 98, 143, 186, 193, 209

Wong, Jason T. C.
（王子春）
219-220, 223-224

Wong, Jeffrey T. F.
（王子輝）
219

Wu, Ze-tian
（武則天）
126-127

Wu, Zi-jian
（吳子建）
242

Xi, Jin-ping
（習近平）
130, 134-135, 137-138, 141

Yang, Xiao-kai
（楊小凱）
44

Yang, Yu-huan
（楊玉環）
107

Yang, Yu-xuan
（楊玉璇）
115, 126

Yeung, Wai-hong
（楊懷康）
252

Young, Arthur
（楊格）
28

Zhang, Jun
（張軍）
66

Zhang, Xu
（張旭）
127

Zhang, Ze-duan
（張擇端）
97

Zhao, Ji, Emperor
（宋徽宗趙佶）
127

Zhao, Zi-yang
(趙紫陽)
240

Zhou, Hui-jun
(周慧珺)
118

Zhou, Shang-jun
(周尚均)
115

Zhu, Jian-shen, Emperor
(明憲宗朱見深)
127

Zhu, Rong-ji
(朱鎔基)
20, 131, 158-160, 166

經濟解釋　第四版

全五卷之五：國家理論與經濟解釋的理論結構

Steven N. S. Cheung, Economic Explanation, Fourth Edition
Book Five of Five: State Theory and
the Theoretic Structure of Economic Explanation

作者　張五常

封面攝影　張五常

扉頁書法　張五常

扉頁篆刻　茅大容：山一程水一程
吳子建：張五常

書底篆刻　吳子建：不見古人

總編輯　葉海旋

助理編輯　黃秋婷

設計　陳艷丁

出版　花千樹出版有限公司
地址：九龍深水埗元州街 290-296 號 1104 室
電郵：info@arcadiapress.com.hk

印刷　利高印刷有限公司

初版　二○一七年六月

ISBN　978-988-8265-82-4